Artistes excentriques

Les Impatients de Montréal

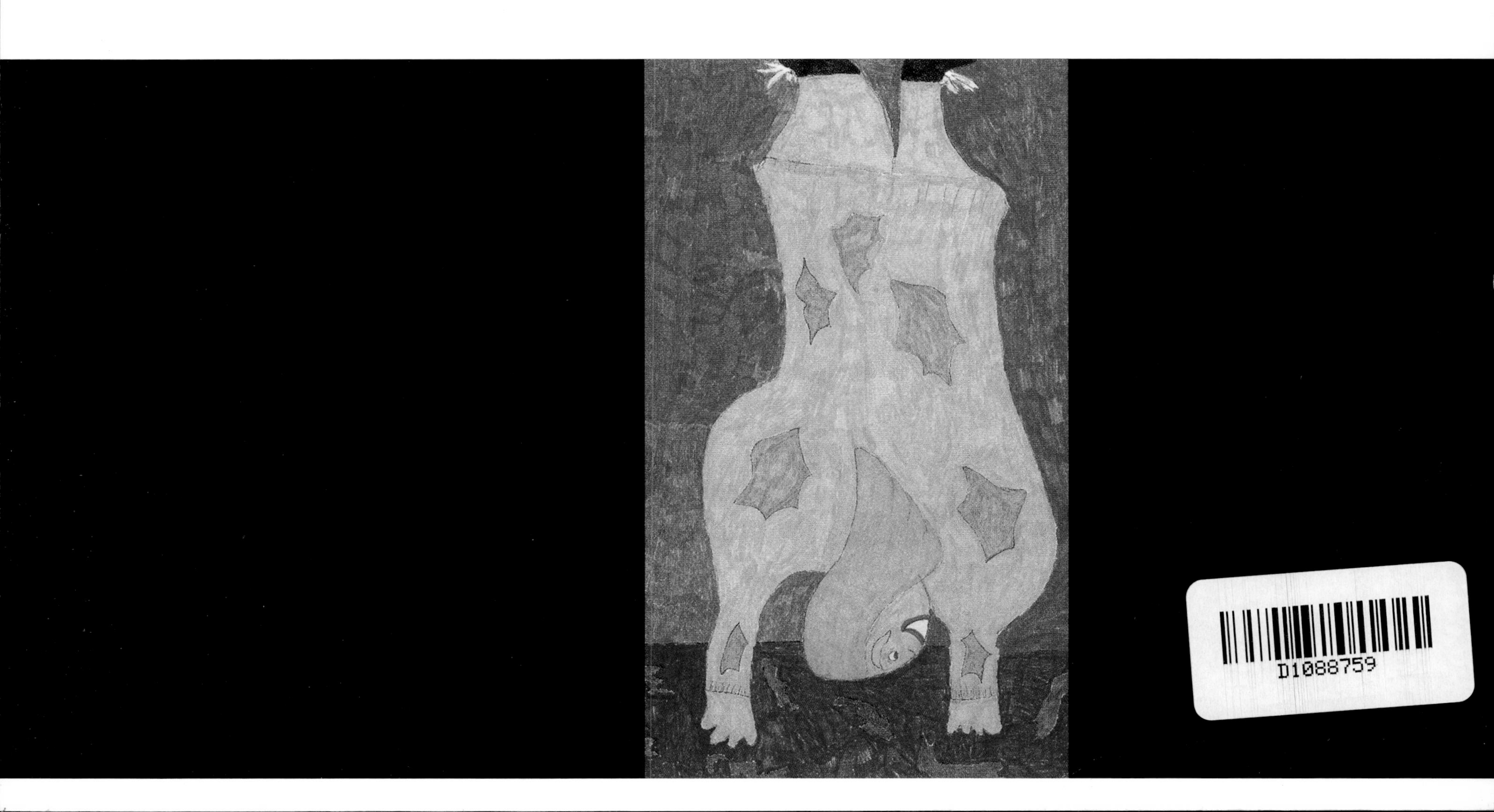

D1088759

À Suzanne,
merci pour votre intérêt
dans ce fascinant sujet.
Bonne lecture

Les Impatients de Montréal

Données de catalogage avant publication (Canada)
Les Impatients de Montréal
Livre d'art, dossiers, documents
2003

Illustrations de la couverture,
plat supérieur :
« L'acrobate » (détail)
Lucie D.
mine de plomb et crayon de couleur sur papier, 1993
Plat inférieur :
« Sans titre »
Antonio M.
mine de plomb et crayon de couleur sur papier, (s.d.)

© Éditions Les Impatients 2003
Sauf pour de courtes citations illustrant une critique dans les médias,
il est interdit, sans la permission écrite des détenteurs du copyright,
de reproduire ou d'utiliser cet ouvrage, sous quelle que forme que ce soit.

Il a été impossible de donner à leurs auteurs le crédit des photos reproduites dans cet ouvrage, la documentation photographique ayant été assurée au fil des ans par de généreux bénévoles dont la plupart sont restés dans l'anonymat. Les Impatients les remercient.

001-A (édition originale)
001-B (tirage de tête)

Dépôt légal – 2e trimestre 2003
Bibliothèque nationale du Québec
Bibliothèque nationale du Canada
ISBN 2-9807828-0-7
Imprimé au Canada

Éditions Les Impatients
100, rue Sherbrooke Est, bureau 4000
Montréal (Québec) Canada, H2X 1C3

Il a été tiré de l'édition originale de cet ouvrage cent cinquante-trois exemplaires sur papier Domtar Luna soie, numérotés et signés, à savoir : cent quarante-trois exemplaires numérotés de 1 à 143, dont trois sont destinés au dépôt légal, et dix hors commerce, marqués H.C.I. à H.C.X.

Conception graphique et direction de la publication : Pierre Henry
Infographie : Annie Choquette
L'ouvrage a été composé en Palatino roman et italique.
Achevé d'imprimer sur les Presses Litho Acme, pour les Éditions Les Impatients, grâce à une subvention de Transcontinental Impression.

Le produit de la vente de cet ouvrage assure la continuité de l'œuvre des Impatients auprès de personnes connaissant ou ayant connu des problèmes d'ordre psychiatrique.

Chers amis Impatients !
Enfin un beau livre de vos dessins,
qu'on pourra regarder longtemps,
qu'on pourra admirer,
garder dans nos maisons
pour penser souvent à vous.

Clémence

Artistes excentriques

Les Impatients de Montréal

Pierre Henry

AVERTISSEMENT

Ami lecteur, ce livre est l'histoire d'une réalisation qui n'a pas encore atteint son terme. C'est une interprétation. Comme toutes les interprétations elle fait abstraction de certains faits, insiste trop sur d'autres et – comble de gaucherie – ira peut-être même jusqu'à oublier de mentionner quelques-uns des personnages qui ont joué un rôle important dans son développement. Si le hasard voulait que tu sois l'un de ceux-là, accepte d'avance mes excuses et sache que de tout temps, certains parmi les plus grands, ont subi le même sort.

Pierre Henry

1 – Robert R.
L'humble guerrier
masque,
émail industriel sur papier mâché, 1995

Le même côté des choses

…cela nous amène à nous retrouver
tous ensemble, sur le même côté des choses, en essayant d'assumer –
clopin-clopant – d'abord à quatre pattes, puis enfin sur deux pattes,
la fascinante et redoutable condition humaine.

PIERRE MIGNEAULT

Dès qu'il parle des travaux réalisés aux ateliers des Impatients, le Dr Migneault devient passionné. Sa longue carrière en psychiatrie et son affiliation à l'hôpital Douglas lui ont permis de bien mesurer la fragilité de ce qu'il décrit comme *la fascinante et redoutable condition humaine.* Pour lui, les bienfaits que procure la pratique de l'art chez les personnes aux prises avec des problèmes d'ordre psychiatrique ne font pas de doute. Le seul fait de s'exprimer leur permet, croit-il, de quitter cet univers inaccessible où elles se sont réfugiées et de se joindre à la communauté dite normale.

Les raisons qui m'ont amené à m'intéresser aux Impatients sont différentes.

Au départ, j'y ai vu la possibilité de m'approcher d'un milieu où se pratique une forme d'expression singulière qui jusqu'ici avait surtout retenu l'attention en Europe, où s'est développée la théorie de l'art brut, forme d'expression qui rappelle, par sa spontanéité et sa candeur, l'art des enfants. Au départ, c'était aussi à cause des personnes qui formaient l'équipe parmi lesquelles je retrouvais des amis et des connaissances avec qui il me serait agréable de travailler. Ce n'est que plus tard, quand se révélèrent progressivement le potentiel de créativité, la vulnérabilité, la sensibilité, la disponibilité et l'immense sentiment de reconnaissance chez ces âmes écorchées par la vie, que je compris l'importance de la mission que nous nous étions donnée.

L'histoire des Impatients mérite d'être racontée. C'est une histoire où la générosité d'un petit groupe de gens a réussi, presque sans moyens, à mettre sur pied une véritable institution qui a désormais une personnalité bien à elle et dont le produit se démarque incontestablement des modèles qui l'ont inspirée.

Le Centre des Impatients est devenu un pont qui relie les deux rives d'une société où il devient de plus en plus difficile de comprendre de quel côté se trouvent les gens les plus troublés. Un pont qui permet, pour paraphraser Pierre Migneault, de se retrouver tous ensemble, sur le même côté des choses.

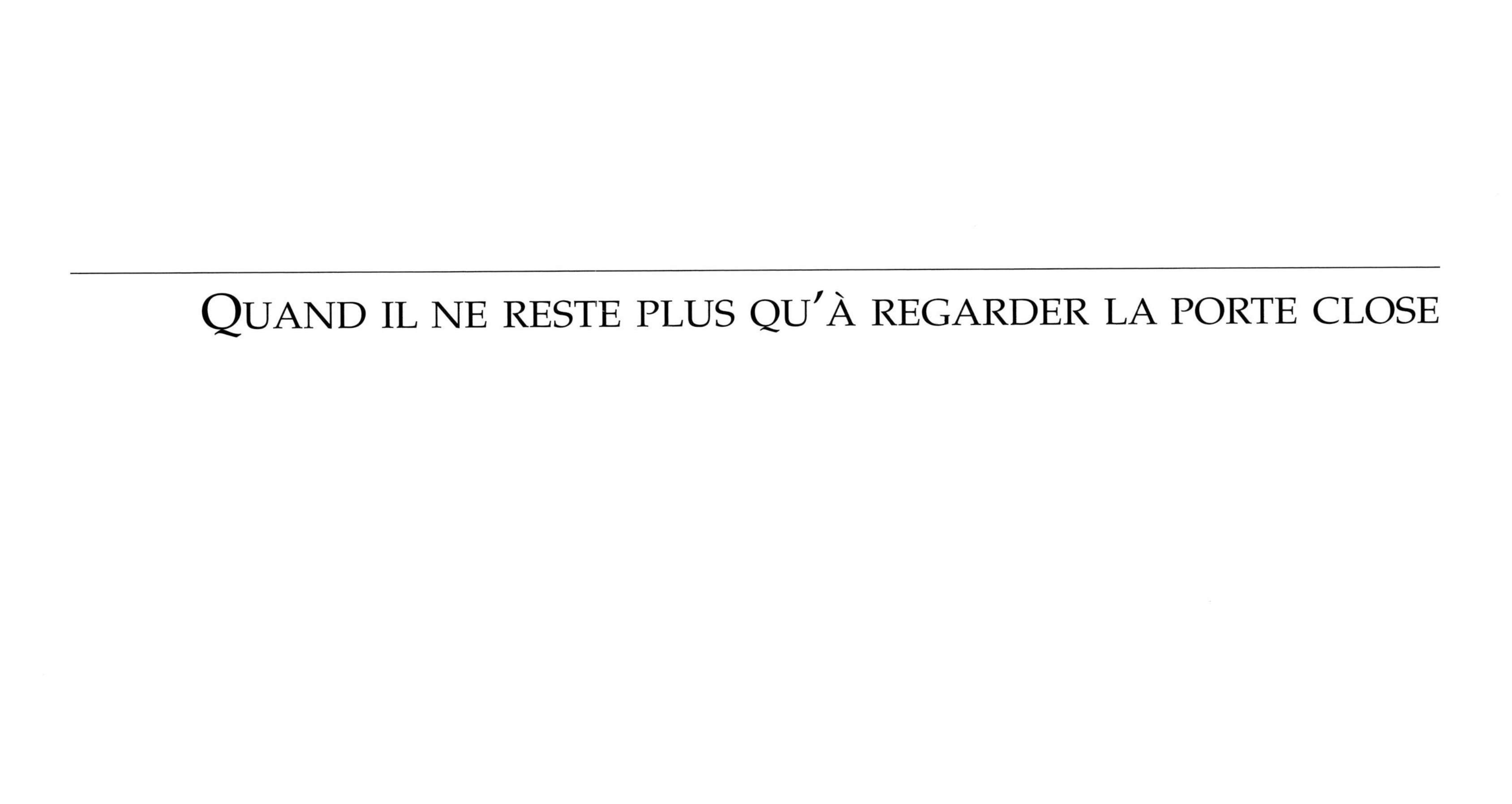

Quand il ne reste plus qu'à regarder la porte close

J'étais abandonné par mes parents
je voulais pleurer mais j'avais
le sentiment trop froid il fallait que
je sois courageux alors je me suis dit :
« Je vais me mettre à regarder partout ».
C'était le seul moyen que j'avais pour moi.

ANTHONY (13 ans)

À Montréal, le projet d'offrir à des personnes aux prises avec des troubles psychiatriques l'occasion de s'exprimer par l'art prit naissance lors de l'élaboration d'un événement-bénéfice. C'est à Lina Dessureault, alors directrice générale de la Fondation québécoise des maladies mentales, que nous devons l'idée originale de jumeler des œuvres d'artistes professionnels à celles de patients de l'hôpital psychiatrique Louis-Hippolyte-Lafontaine dans le but de recueillir des fonds. Le projet fut élaboré par deux spécialistes du milieu de l'art comtemporain — Isabelle Lelarge et Michel Groleau — en collaboration avec l'Association des galeries d'art contemporain de Montréal, dont la présidente était la galeriste Lorraine Palardy. L'événement fut appelé *À l'ombre du génie.*
C'était en 1989. Lorraine Palardy se souvient des circonstances et de la suite inattendue des choses : « *À l'ombre du génie* connut un franc succès. L'événement aurait bien pu n'être qu'une autre soirée-bénéfice dont on parle un certain temps pour ensuite passer à autre chose. Mais il avait donné à un petit groupe de patients une perspective nouvelle : la plupart de ceux et celles qui avaient participé aux ateliers y avaient tellement pris goût qu'ils retournaient chaque jour attendre devant la porte close où – pendant dix semaines – on leur avait permis de dessiner. »
Les Impatients étaient nés.
Le nom Les Impatients, que l'on aurait pu associer à ces longues attentes devant une porte close, veut plutôt suggérer que les gens qui travaillent en ateliers libres n'y sont plus considérés comme des patients.
Qui sont Les Impatients ? Comme la société d'où ils sont issus, ils forment un vaste éventail : de l'humble orphelin de Duplessis à l'intellectuel érudit, de l'interné de longue durée à l'architecte temporairement aux prises avec une dépression, tous ont en commun une blessure profonde qui a fait d'eux des citoyens de la marge.
Le secret du succès demeure toujours un secret.
Celui des Impatients tient d'une conjoncture qu'on ne peut que constater après coup mais qu'il est impossible de recréer pour en faire un modèle d'application universelle.
C'est la conjugaison des efforts et des compétences de deux femmes remarquables : la pétillante Lorraine Palardy,

véritable dynamo du milieu des arts visuels et la calme et contemplative Suzanne Hamel, art-thérapeute.
Ce redoutable duo se verra bientôt entouré d'un groupe d'amis et de connaissances : Lise Bissonnette, Pierre Bourgie, Julia Byers, Godefroy Cardinal, Raymond Carignan, Clémence DesRochers, Jean Doré, Lisa Frulla, Michel Groleau, André Harel, Yves Lamontagne, Charles S.N. Parent, Lyette Racicot, Cyril Simard, Pierre Théberge, Claire Thériault et sans doute plusieurs autres dont les noms m'échappent.
Parmi eux, on recrutera le premier conseil d'administration, que j'eus l'honneur de présider.
Au cours des mois qui suivirent, d'autres bénévoles se joignirent aux amis de Lorraine : le designer Michel Dallaire; le collectionneur et actuel président du Conseil des arts de Montréal, Me Maurice Forget; la Sénateure Thérèse Lavoie-Roux; le PDG de Rona, Robert Dutton, pour ne nommer que ceux-là.
S'il fallait publier ici la liste exhaustive de ceux et celles qui, depuis lors, gravitent dans le cercle privilégié des Impatients, on se retrouverait devant un véritable bottin où seraient inscrits à peu près tous les gens de bonne volonté de la nouvelle ville de Montréal et de sa périphérie.
Quant à Lorraine Palardy, elle deviendra avec le temps la figure de proue de ce bateau ivre qui devra naviguer sur des eaux pas toujours couleur d'azur. Telle une mère Teresa entourée de ses déshérités – ou un Jean Vanier ouvrant son arche aux laissés-pour-compte d'une société en désarroi, elle sera considérée par la clientèle croissante du Centre Les Impatients comme la lumière au bout d'un tunnel qui, pour plusieurs, était jusque-là sans issue.
Si la survie des Impatients ne tient pas du miracle (il ne faut tout de même pas soumettre prématurément aux canons de l'Église, déjà aux prises avec ses propres angoisses, le cas de la bienheureuse Lorraine) elle ne tient pas non plus de la générosité de l'État.
C'est presque exclusivement grâce à l'appui de quelques sociétés éclairées, de l'aide soutenue de nombreux particuliers et de la générosité d'une poignée de bénévoles et des permanents du centre si l'œuvre des Impatients se poursuit.
Quant à l'éventuelle béatification de la directrice générale il ne

faudrait pas s'en étonner outre mesure, Lorraine ayant su établir de bons contacts en hauts lieux. Sans les connaître tous je sais qu'elle compte parmi ses amis le respecté père dominicain Benoit Lacroix et l'abbé Pierre lui-même.

Martial, un patient, présente à l'abbé Pierre le portrait qu'il a fait de lui lors de sa visite en 1996. À gauche, le père Benoit Lacroix, au centre, Charles Doumar, de Rona, cachée partiellement par Martial, Lorraine Palardy.

Permettez que je dévie temporairement du déroulement chronologique des choses pour vous raconter la venue à Montréal de l'abbé Pierre.

Au cours des premières années de la Fondation, il fallait constamment chercher des moyens originaux pour donner au nouvel organisme une plus grande notoriété. En 1996, Lorraine Palardy, qui n'a jamais craint les hauteurs, eut l'idée d'inviter l'abbé Pierre. La venue chez Les Impatients de l'une des personnalités les plus connues du monde n'assurerait-elle pas l'avenir de notre fragile institution ?

Un accusé de réception parvint par retour du courrier au bureau de Lorraine, de la part du secrétaire de l'abbé Pierre qui l'excusait de ne pouvoir accepter à cause de son âge avancé cette invitation qui le touchait beaucoup puisque l'œuvre des Impatients s'inscrivait tout à fait dans son champ d'intérêt. Malheureusement, il ne pouvait plus se permettre de longs voyages. Il le regrettait beaucoup.

Puis, quelques semaines plus tard, le secrétaire de l'abbé Pierre téléphone : « Madame Palardy, j'ai de bonnes nouvelles. L'abbé Pierre avait gardé sur son bureau votre invitation qu'il regrettait beaucoup de n'avoir pu accepter. Or voilà qu'on lui demande de se rendre à Montréal pour participer au Déjeuner de la Prière*. Le ciel prend parfois de mystérieux détours pour arriver à ses fins. Quoiqu'il en soit, comme il tenait tellement à vous rencontrer, il a décidé d'y aller et de vous accorder tout le temps dont il pourra disposer. »

L'abbé Pierre vint donc à Montréal et fut effectivement très

*Le Déjeuner de la Prière est un événement ponctuel où se réunissent les leaders de Montréal, particulièrement ceux du milieu des affaires. On y invite une personnalité à faire un témoignage de son expérience de vie.

À l'atelier de Pointe-aux-Trembles, en 1992, Lorraine Palardy, debout, avec Louise F., une patiente.

généreux de son temps, ce qui permit à Raymond Carignan, Robert Dutton et à moi-même de nous joindre à Lorraine et de le rencontrer avec quelques patients qui lui remirent un portrait souvenir que l'un d'eux avait fait et qui, ma foi, était plutôt réussi.

Lorsqu'on lui présenta Jean-Paul, un des plus anciens patients, l'abbé Pierre lui demanda son nom : « Jean-Paul » répondit Jean-Paul, pas très impressionné par notre distingué visiteur. « Quel âge as-tu? », « J'sais pas » répondit Jean-Paul, qui devait avoir à peu près 70 ans. À son tour l'abbé Pierre ne sembla pas étonné par la réponse, il en avait vu bien d'autres.

Comme nous n'étions pas très loin de Noël, Lorraine avait eu la bonne idée de mettre sur vidéo un message du saint homme pour le présenter aux patients de l'hôpital Louis-H.-Lafontaine, à l'occasion de la messe de minuit. Il s'y prêta de bonne grâce et, comme nous le verrons un peu plus loin, la projection de la vidéo de l'abbé Pierre ajouta une autre couleur à cette messe de minuit à laquelle j'eus le privilège d'assister avec ma famille et quelques autres invités.

Pour revenir à l'évolution chronologique de la Fondation, il faut préciser que les autorités de Louis-H.-Lafontaine ne faisaient pas l'unanimité sur l'introduction d'activités artistiques dans l'hôpital. « Nous avons déjà assez de troubles sans ça ! » disaient certains, qui devaient s'imaginer leurs murs éventuellement barbouillés de monstrueux graffitis.

Il a fallu beaucoup de ténacité, beaucoup d'arguments persuasifs de la part de Lorraine Palardy et Suzanne Hamel pour obtenir la permission d'offrir aux patients de l'hôpital de s'exprimer par l'art, un service qui devait recevoir l'appui de son futur directeur, le Dr Raymond Carignan.

« Mais nous avions aussi une alliée de taille, se souvient Lorraine. Lyette Racicot, qui était au conseil d'administration de la Fondation québécoise des maladies mentales, épousa notre cause. Lyette est une femme pleine de ressources qui découvrait à la fois le milieu des malades mentaux, celui de l'art contemporain et celui, encore plus particulier, de l'art brut. Je me souviens de son intervention obstinée à Louis-H. quand – l'institution ayant été placée sous tutelle – il avait été question d'y fermer de façon définitive les ateliers de dessin que nous avions réussi à mettre sur pied. Même si elle n'avait aucune expérience en apprentissage de l'art, elle n'hésita pas à animer des ateliers, endossant le sarrau, apprêtant au gesso les supports qui allaient servir aux malades et refusant farouchement que l'on touche à ce nouveau service mis à leur disposition. C'est surtout grâce à elle que nous avons pu traverser cette étape difficile. »

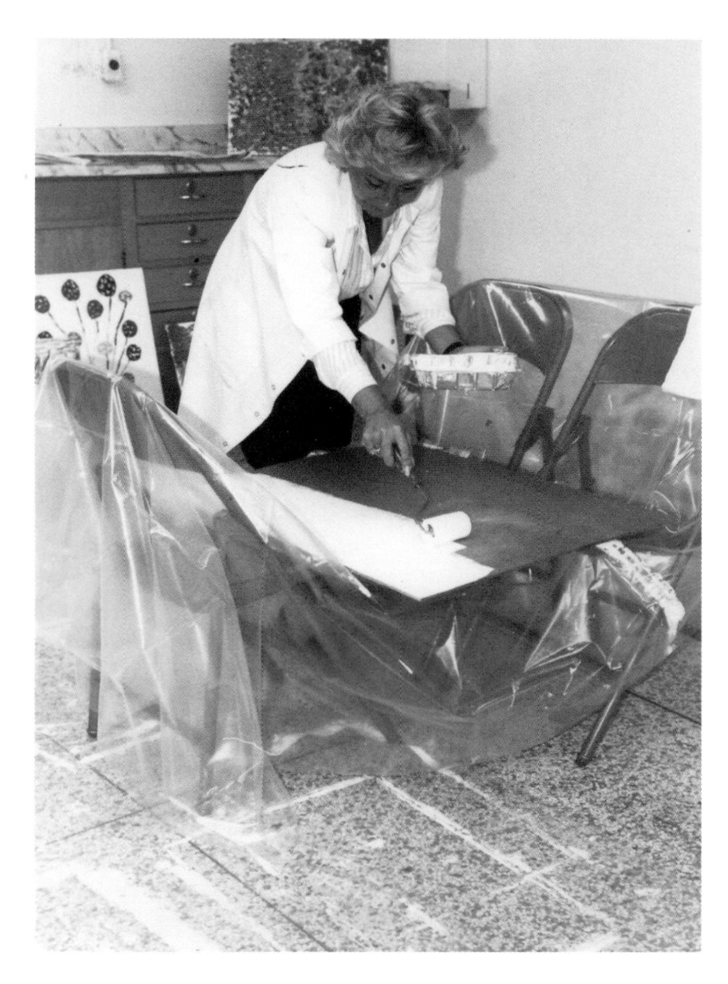

En 1990, Lyette Racicot n'hésita pas à animer des ateliers, endossant le sarrau et apprêtant au gesso les supports qui allaient servir aux patients.

Tous les oiseaux du monde

L'espace pictural est un mur
mais tous les oiseaux du monde
y volent librement.

NICOLAS DE STAËL

Avec le recul – ce filtre magique qui décortique, purifie, élimine tout sauf l'essentiel – l'aventure de la mise en place de la Fondation pour l'Art thérapeutique et l'Art brut du Québec (c'est sous ce vocable que fut créée la Fondation que nous appelons désormais Les Impatients) ressemble à un film de Federico Fellini.

Logé dans un modeste centre commercial de Pointe-aux-Trembles, rue Saint-Jean-Baptiste, le premier atelier « hors murs » de la Fondation offrait aux passants une vitrine insolite où des œuvres de deux et trois dimensions masquaient difficilement l'activité étrange qui y régnait. Animée par une poignée de jeunes praticiens des arts visuels qui variaient selon les arrivages, le tout était soumis au directoire expérimental de Lorraine Palardy et de Suzanne Hamel. Il s'agissait bien ici d'une aventure. On faisait dans l'inconnu. Mais la matière première ne manquait surtout pas : Pointe-aux-Trembles était en quelque sorte le prolongement de Louis-H.-Lafontaine, puisque de nombreuses familles y accueillaient des ex-patients de l'hôpital psychiatrique. Cela assurait aux Impatients un important réservoir de candidats pour ses ateliers.

À l'époque, le modèle que nous nous étions donné était celui qu'avait créé près d'un siècle plus tôt le peintre français Jean Dubuffet, le théoricien de l'art brut, dont la fascination pour cette forme d'expression artistique avait donné naissance au Musée de l'Art brut de Lausanne.

L'ambition des « artbrutistes » de Pointe-aux-Trembles était de doter le Québec d'un organisme similaire à cette grande institution. Dans un château ? Pourquoi pas. Dubuffet n'avait-il pas réussi à convaincre les autorités lausannoises de transformer le Château de Beaulieu en un musée pour y accueillir sa collection ? La ville de Montréal, ce grand centre ouvert aux idées neuves, ne saurait-elle pas être à la hauteur ? Après tout, Lausanne avait à peine le quart de la population de Montréal. Et l'on savait que le conservatisme des vieilles villes d'Europe rendait quasi impossible toute initiative nouvelle, tandis qu'ici...

Mais, il fallait d'abord se concentrer sur le recrutement d'une clientèle suffisamment importante pour que l'action de la Fondation soit mesurable dans un milieu où les professionnels de la santé étaient encore sceptiques.

Lorraine Palardy raconte ses tournées dans les lieux publics avoisinants – les centres commerciaux surtout – où de nombreux « ex-institutionnalisés » vivant en famille d'accueil erraient sans but précis. « Nous les invitions à venir prendre un café à l'atelier et la plupart du temps ils se joignaient au groupe. »

Quand l'espace de la rue Saint-Jean-Baptiste devint trop étroit, la Fondation trouva dans le même quartier un lieu plus vaste et il fallut raviver l'idée d'un éventuel château où il serait possible d'accueillir à la fois les patients et le public. La Tour Émile-Nelligan, l'imposante structure du complexe Louis-Hippolyte-Lafontaine dont l'unique fonction était d'abriter dans son faîte un immense réservoir d'eau, devint l'objet de nos désirs.

Il ne s'agissait pas tout à fait d'un château, mais n'appelle-t-on pas châteaux d'eau, en France, ces réservoirs citernes ? Et celui-ci n'avait-il pas, en plus, la distinction que lui conférait la légende selon laquelle, lors de son hospitalisation à Louis-H.-Lafontaine (Saint-Jean-de-Dieu à l'époque), le poète Émile Nelligan s'y retirait souvent pour écrire ?

La Fondation fit appel à des spécialistes : Cyril Simard, alors président de la Commission des Biens culturels du Québec; le muséologue Jean Trudel; l'urbaniste Jean-Claude Marsan; l'architecte-paysagiste Vincent Asselin, qui se joignirent au Dr Raymond Carignan et à moi-même pour former le Comité du musée dont la présidence serait confiée à Me Maurice Forget, éminent avocat, habile négociateur et collectionneur passionné.

Si la Tour Émile Nelligan est, comme certains le croient, habitée par des esprits du temps où Saint-Jean-de-Dieu était presque une ville – l'hôpital avait ses propres ateliers où l'on pouvait fabriquer ou réparer tout ce dont elle avait besoin, son propre service d'incendie et même une voie ferrée qui assurait le transport intra-muros – si, donc, ces esprits se trouvent encore dans les recoins de la tour, ils ont dû avoir un certain plaisir à nous entendre nous exclamer sur la solidité de sa construction, ses qualités architecturales et, surtout, sur les modifications que nos imaginations débridées nous suggéraient d'y faire.

Je me souviens que Cyril Simard qui, en plus d'être architecte de formation, a développé – entre autres – le concept des

La Tour Émile-Nelligan, l'imposante structure du complexe hospitalier, devint l'objet de nos rêves.

économusées que l'on retrouve aujourd'hui un peu partout, nous parlait du potentiel des lieux où il voyait déjà, au premier palier, une boutique où seraient mis en vente les objets réalisés par les patients, objets dont la principale thématique serait la cage d'oiseau ouverte, symbolisant l'envol et la liberté. Il y avait de quoi rêver.

Pendant plusieurs années la Tour Émile-Nelligan continuera d'habiter nos rêves et ceux des gens qui nous entouraient, parmi lesquels les esprits inventifs ne manquaient pas; ils en devinrent plus ou moins obsédés.

Puisqu'elle apparaissait, tel un monument, aux automobilistes se dirigeant vers Montréal à la sortie du pont-tunnel Louis-H.-Lafontaine, on eut, en 1996, l'idée de la rendre encore plus présente dans le paysage urbain en l'illuminant, à la manière d'un arbre de Noël.

Ainsi, les voyageurs de nuit, pendant quelques années, voyaient apparaître cette immense forme phallique porteuse d'un message qu'ils devaient avoir du mal à déchiffrer mais, surtout, et, qu'importe, qui symbolisait la démesure dont seuls les fous et les gens tout près d'eux sont capables.

Puisqu'on avait réussi à illuminer la Tour Émile-Nelligan, tout devenait possible. C'est à ce moment-là, je pense, que j'ai commencé à croire que nous pourrions éventuellement nous retrouver tous ensemble sur le même côté des choses.
L'illumination de la Tour Émile-Nelligan avait nécessité l'installation de quelque 50 000 ampoules et le concours du jeune et talentueux concepteur éclairagiste Alain Lortie.
Le coût de l'opération avait été absorbé par Rona et Noma, grâce à l'intervention de celui qui était devenu notre ange gardien – Robert Dutton – le grand patron de Rona Inc. dont la générosité n'avait d'égale que la discrétion : il insistait pour que son action ne donne pas lieu au battage publicitaire généralement exigé par les « mécènes » du milieu corporatif. Au risque de recevoir une réprimande sévère de sa part, je lui consacrerai un chapitre spécial un peu plus loin et il convient ici d'ajouter que ceux et celles qui songent à porter la candidature de Lorraine Palardy à la béatification devraient y ajouter celle de cet homme d'exception.
La Tour Émile-Nelligan restera au centre de notre champ de vision pendant un certain temps.

C'est à ses pieds qu'on créa le premier événement public à l'occasion de Noël : une interprétation de la naissance du Christ conçue par Les Impatients, à laquelle s'était greffé un stand où le visiteur pouvait acheter des mandarines que Lorraine avait sans doute obtenues gratuitement de son amie Lyette dont le mari dirigeait une maison d'alimentation. Si les résultats, au plan strictement pécuniaire, ne connurent pas le succès escompté il n'en demeure pas moins que, petit à petit, l'action des Impatients se faisait connaître et que La Tour Émile-Nelligan en était le point de mire.
C'est cette même année (l'année des mandarines) que – sous la pulsion d'un enthousiasme croissant – je réussis à convaincre ma famille d'assister à la messe de minuit à la chapelle de l'hôpital Louis-H.-Lafontaine.
À l'exception de la poignée d'invités venus de l'extérieur dans ce lieu normalement à l'abri des regards indiscrets, les fidèles rassemblés, les responsables du chant et de l'accompagnement musical, les servants et même le célébrant étaient tous touchés par une quelconque forme de folie ou d'anormalité.

Pourtant, et peut-être pour cette raison, je ne me suis jamais senti aussi prêt de mon Créateur que cette nuit-là.
Le tableau vivant de la fragile condition humaine qui s'offrait sans artifice à nos regards non initiés eut un impact d'une intensité difficilement mesurable. Je reverrai toujours ce patient se rendant à la chapelle en marchant à reculons, de cet autre dont le regard perçant s'arrêta sur ma femme et qui murmura finalement : « On ne vous voit pas souvent à l'église », un énoncé d'une grande justesse.

Quand vint le temps de l'homélie, le vieux visage de l'abbé Pierre apparut sur l'écran placé près de l'autel. Il livra son message avec la familiarité d'un habitué; comme s'il connaissait tous ceux qui l'écoutaient par leurs prénoms, s'excusant de n'avoir pu être là en personne. Puis, pendant que dans l'intimité de cette petite chapelle des chants traditionnels plus ou moins reconnaissables s'élevaient en une prière étrange, dehors, tout près, la Tour Émile-Nelligan déguisée en arbre de Noël montait la garde.

Ma chère Marie-Louise

Le rêve et le désir sont immortels.

AUGUSTE RODIN

Il avait raison, le vieux Rodin, de dire que le rêve et le désir sont immortels. Mais il aurait dû ajouter que l'objet de nos désirs, lui, peut changer avec le temps.

Ainsi la Tour Émile-Nelligan devait-elle finalement céder sa place à un redoutable rival : le Château Dufresne. Cette élégante résidence avait été érigée par les frères Dufresne à une époque où peu de Canadiens (c'est ainsi qu'on désignait alors les Québécois de langue française) avaient les ressources financières suffisantes pour se permettre une telle extravagance.

Il est intéressant de noter que le Château Dufresne – il s'agit bien d'un château – a été construit presque sous les yeux de Nelligan, étant situé à l'angle de la rue Sherbrooke et du boulevard Pie-IX, donc relativement près de la tour, où, à la même époque, le jeune Nelligan allait, selon la légende, se recueillir pendant son long séjour à Saint-Jean-de-Dieu.

Ayant eu vent que la Ville de Montréal souhaitait une vocation nouvelle pour ce château vacant – le Musée des Arts décoratifs l'ayant quitté pour joindre son destin à celui du Musée des Beaux-arts de Montréal – la Fondation changeait sans hésiter son alliance, jetant rapidement son dévolu sur ce magnifique nouvel objet de rêve et de désir qui saurait rivaliser avec tous les châteaux de Beaulieu, de Lausanne et d'ailleurs.

Ici, on ne se contenterait pas d'exposer une collection. On aménagerait des ateliers, on créerait un centre de consultation et de recherche affilié à l'un des grands centres universitaires, offrant à tous les chercheurs du monde un havre de paix et de savoir reconnu pour son unicité.

C'est donc avec la conviction des missionnaires d'antan que la Fondation monta une solide campagne de sensibilisation auprès des autorités de tous les paliers, certaine de voir sa démarche aboutir aux portes toute grandes ouvertes du palais des frères Dufresne.

Je m'abstiendrai d'entrer dans le détail de la campagne qui en résulta et qui prit en définitive l'allure d'une croisade qui n'avait rien à envier aux combats médiévaux, sauf que nos adversaires étaient équipés de plus grands coutelas que les nôtres. Notre brève mais remarquée sortie dans l'arène politique démontra à quel point nous étions peu aptes à ces jeux, ce qui permit à nos adversaires de vaincre sans trop d'effort.

De cette page pénible de notre histoire je ne retiendrai que deux illustrations. La première étant l'intervention, en notre faveur, de son honneur Monsieur le Maire Pierre Bourque.

Permettez que j'ouvre ici une parenthèse pour vous expliquer que – ne recevant aucune aide de l'État – il nous fallait constamment trouver de nouveaux stratagèmes pour assurer la pérennité de notre action. Parmi ceux-ci, il y avait Marie-Louise, un personnage créé de toutes pièces dont nous nous servions chaque année lors de la campagne de sollicitation de la Saint-Valentin. Chaque année, en effet, des milliers de Montréalais recevaient un valentin de Marie-Louise dans lequel elle exprimait en termes simples et naïfs tous les bienfaits qu'elle attribuait à cette Fondation qui lui avait permis de sortir de sa solitude. Elle terminait immanquablement en disant à tous ceux et celles qui nous envoyaient des sous qu'elle les aimait.
Personne n'était évidemment dupe de ce montage publicitaire et nombreux étaient les dons qu'il générait. Fin de la parenthèse.

Pour revenir à M. le Maire, il avait, comme principal intéressé, reçu de nous une documentation étoffée faisant valoir pourquoi le Château Dufresne – propriété de la ville – devait devenir le premier centre important en Amérique du Nord de ce nouveau réseau planétaire consacré à l'art brut. Notre demande n'était pas tombée dans l'oreille d'un sourd. Le bureau de M. Bourque nous informait rapidement que notre demande avait son approbation et qu'une confirmation officielle nous parviendrait incessamment. Il y avait de la jubilation dans le camp des arbrutistes de Pointe-aux-Trembles. Comme les Suisses, nous l'avions notre château !
Quelques jours plus tard arriva la lettre du Maire. Elle était adressée à Marie-Louise. « Chère Marie-Louise, disait monsieur le maire, il me fait plaisir de vous annoncer...»
Je ne sais toujours pas si M. Bourque croyait vraiment en l'existence de Marie-Louise ou si ce sont les membres de son personnel qui avaient commis l'erreur.
La décision du Maire Bourque de nous accorder le château devait fondre comme glace au soleil d'été au cours des prochaines manches de notre premier combat politique.

Mais notre défaite ne devait pas se solder dans l'humiliation totale. Et, comme seconde illustration, permettez-moi de vous faire lire – ou relire – le billet qu'écrivait Lise Bissonnette, alors directrice du journal Le Devoir, dans la section des Arts du 28 mars 1998, sous le titre : LE CHIEN QUI PUE.

Le chien le plus ordinaire du monde, le plus bâtard, sans collier, museau bas, queue haute, longe une haie grise sur pavé noir, sous ciel d'un bleu chatoyant mais réservé de loin à deux arbres amis, à trois voitures pressées. Le chien est brun. Pas marron. Pas roux. Pas chocolat. Pas bistre. Brun. Couleur de merde à laquelle le papier gondolé donne un relief nature. L'encadrement a été payé par la compagnie Eli Lilly Canada, une grosse firme pharmaceutique qui produit sans doute des substances chimiques prescrites par des psychiatres à leurs patients, ce qui confortera les soupçons de tous ceux qui veulent voir dans la Fondation d'art thérapeutique et d'art brut du Québec (FATABQ) une extension de puissances financières occultes. Pour ma part, quand je suis tombée en arrêt devant cette œuvre dans la petite galerie que prêtait Loto-Québec à la FATABQ en juin dernier – oui, j'ai bien dit Loto-Québec et son argent si suspect aux yeux des bien-pensants mais la

2 – Réjean C., *Le chien qui pue,* gouache sur papier (1997).

seule institution publique à avoir accepté d'accueillir cette exposition –, j'ai été plus remuée que devant tout tableau, installation, sculpture, image, provocation que j'ai fréquentés dans les musées d'ici et d'ailleurs, depuis des années.
L'œuvre n'est pas signée. À l'arrière, un petit cartel dit qu'elle est de Réjean. Elle est intitulée « Le chien qui pue ». Et Réjean l'a faite parce qu'il se voit comme un chien qui pue.
Comme elle m'a été prêtée à cause de ma réaction et qu'elle se trouve aujourd'hui dans les locaux du Devoir par les bons offices du psychiatre Pierre Migneault et de Lorraine Palardy, directrice de la FATABQ qui est aussi une connaissance de longue date, je voyais

constamment ce chien en lisant, depuis deux semaines, les passes d'armes autour de la future occupation du château Dufresne par la FATABQ. L'affaire est décriée et vivement reprochée au maire Bourque, locateur des lieux, par « les forces vives du quartier autour de l'Atelier d'histoire Hochelaga-Maisonneuve, du Collège de Maisonneuve et de Tourisme Hochelaga-Maisonneuve » qui ont leur propre projet d'interprétation d'histoire urbaine à loger au château.

Mme Palardy m'en voudra ou pas si je reconnais d'emblée que le projet de musée à caractère historique convient mieux que le leur aux résidences que les bourgeois frères Dufresne, fabricants de chaussures et de ponts, avaient fait ériger au début du siècle, en s'inspirant de rien de moins que l'architecture versaillaise, dans ce qui était le cœur de la ville de Maisonneuve avant son déclin industriel et son annexion à Montréal. Pas parce que les bonnes âmes qui font la leçon à la FATABQ décrètent qu'il faut aux malades mentaux des locaux vastes et lumineux plutôt que les dédales chaleureux (et très éclairés, d'ailleurs, pour qui se serait donné la peine de vérifier) d'une résidence ancienne. Cela, seul Réjean et ses compagnons des ateliers d'art thérapeutique pourraient le dire, et nous n'avons pas plus à parler en leur nom qu'à dessiner à leur place. Mais parce que la collection Dufresne, meubles et objets, et les lieux eux-mêmes sont l'incarnation de l'histoire la plus baroque et l'une des plus mal connues de Montréal et qu'il y a complémentarité plus naturelle avec le projet initial, issu du milieu immédiat. Puisque ce milieu se présente comme « forces vives » en jouant sur le contraste subliminal avec les faibles, il faut présumer qu'il dispose de ressources à la hauteur de ses ambitions et que le futur musée a des chances d'être un succès.

Mais le discours mielleux de toute cette belle gauche qui, du commissaire d'école à la ministre du coin, proteste de sa compassion pour les malades mentaux tout en pourchassant la FATABQ fait lever le cœur. Ça sent, en effet, le chien qui pue.

Il y a honte à peine déguisée, devant l'irruption d'indésirables dans le décor et leur identification à ce « quartier » que les historiens se préparent à exalter. J'ai entendu, lundi, à l'émission C'EST BIEN MEILLEUR LE MATIN, un professeur du cégep de Maisonneuve qui faisait mousser une conférence de presse à venir le jour même, affirmant froidement que ces patients psychiatriques, pour leur bien que ce monsieur connaissait mieux que la FATABQ, ne devraient pas côtoyer le public. « Faudrait-il leur mettre des sacs de papier sur la tête ? », a-t-il non seulement dit mais répété. Je devrais lui conseiller de se faire accueillir aux ateliers de la FATABQ par ces artistes qui veulent, comme les autres et non comme les fous qu'il imagine, trouver des regards, de l'intérêt, des questions, des présences, mais je m'en abstiens. Réjean et les autres ne méritent pas de se trouver sous son œil éteint d'avance. Et je perdrais sans doute mon temps, en proposant à ce porteur de parole qui suinte, de voir l'extraordinaire film de Richard Boutet, « Le chemin brut de Lisette et Romain » (Cinéma libre et Vent d'est, 1995), où plusieurs d'entre eux viennent à notre rencontre, nous laissant pénétrer dans leurs chambres et leurs têtes, à visage ouvert et découvert, en sachant parfaitement ce qu'ils livrent au public, et les risques qu'ils prennent.

Mais il y a pire que les amateurs de sacs de papier à connotation de poubelle. Il y a ceux qui s'arrangent pour que le chien pue. Relisez le texte de Robert Cadotte, rien moins que président du Centre local de services communautaires et commissaire d'école bien connu pour la correction politique de son verbe, répandu cette semaine dans nos journaux. Il présente le projet de la FATABQ comme celui de « riches promoteurs » qui sont venus, avec le maire, « voler la ligne à pêche » d'un quartier « dévasté » auquel on aura « enlevé » l'un de ses seuls monuments historiques, tout cela grâce à un projet qui n'était « pas idiot » (M. Cadotte a le sens des mots). On aura compris : les malades mentaux ne sont pas des artistes mais un instrument au service de la classe dominante qui pousse l'exploitation des vrais pauvres jusqu'à leur voler leur histoire. Ni M. Cadotte, ni Louise Harel qui le soutient de son ministère, ni leurs amis historiens et journalistes, qui ont pourtant beaucoup glosé sur la FATABQ, n'ont jamais mis les pieds dans les petits ateliers de la fondation, bricolés dans le fond d'un centre commercial de Pointe-aux-Trembles, soutenus à coup d'encans bénéfices et de bénévolat. Le seul tort de ces amis d'une cause difficile entre toute est d'avoir quelques commanditaires pour un maigre budget de 200 000 $ par année et d'avoir ainsi fourni matière au grossier mensonge de M. Cadotte qui fait aujourd'hui passer ces commanditaires pour les « riches promoteurs » de leur projet.

Ce qu'il y a derrière tout ça ? Des gens scolarisés mais incultes qui sont incapables de manifester le moindre intérêt pour l'art brut, qui n'y voient pas l'œuvre d'artistes mais celle de fous à cacher. Des gens qui craignent le rapprochement entre la maladie mentale et un monument historique de leur quartier. M. Cadotte écrit : « Mais un château ? Tout de même ! Un centre d'interprétation de la maladie mentale ne requiert absolument pas un bâtiment de cette nature. » On a d'ailleurs généreusement offert à la FATABQ un autre symbole en lui conseillant de s'installer dans un CLSC. L'art des fous, qu'il retourne se faire oublier dans le réseau de la santé plutôt que de prétendre à un musée. Remarquez, il y a longtemps que l'art brut se bat avec ce genre de préjugés à peine maquillés. Seuls des musées excentriques ou spécialisés lui font une place, malgré sa parenté indéniable avec l'art des avant-gardes qui craignent des rapprochements physiques aux implications gênantes. Ici, il n'y a eu que le Complexe Desjardins, et plus récemment Loto-Québec, pour consentir à l'exposer. Nos musées prêtent leurs locaux pour les encans ou bingos de la FATABQ, mais leurs cimaises restent hors limites.

Avec la caution que les institutions viennent d'obtenir à gauche, chez ceux qui gagnent leur vie et leur réputation en racontant qu'ils combattent l'exclusion, les chiens sans collier continueront à battre le pavé.

Il y a dans ce billet de Madame Bissonnette des leçons qui méritent qu'on les relise au moins une fois l'an. Il y a aussi un éclairage révélateur sur la difficile quête que poursuivait la Fondation, cherchant de tour en château, à la fois un toit, une identité et la compréhension d'un public très peu préparé à ouvrir les yeux, les oreilles et le cœur à une cause depuis si longtemps gardée au placard.

Aujourd'hui j'ai fait un arc-en-ciel

Je m'appelle Ethel
J'ai un conjoint qui s'appelle Martin depuis 10 ans
J'ai perdu ma mère adoptive en 94
Je n'ai pas eu d'enfants
J'ai fait de la peinture pour les murs
Aujourd'hui j'ai fait un arc-en-ciel.

ETHEL

Ces quelques lignes extraites d'un texte d'une des habituées des Impatients me semble de bon ton pour vous présenter Robert Dutton.

Qui est Robert Dutton ?
Pour ses collègues du milieu des affaires il est le brillant et discret jeune dirigeant du plus grand réseau de distribution de matériaux de construction et de rénovation au Canada – la société Rona Inc.
L'œil vif, l'attitude résolue, il saisit tout, ne laisse rien passer, tient le cap d'une main ferme.
Il ne supporte pas le gaspillage, y compris celui des mots.
Pour Les Impatients, il est le mécène tombé du ciel, l'ange gardien sans qui on aurait mis la clef dans la porte depuis longtemps.
La ponctualité de son aide financière est à la fois désintéressée et exigeante. S'il insiste pour que la contribution régulière qu'il nous prodigue depuis les toutes premières années se fasse sous le signe de la discrétion, il insiste tout autant pour que l'intervention des Impatients dans le milieu se fasse dans le respect et la compassion.
Sensibilisé à la mission des Impatients dès sa fondation, Robert Dutton se rendit en personne à l'atelier de Pointe-aux-Trembles pour mieux en évaluer les besoins. Visiblement touché par le spectacle qui s'offrait à lui dans ce demi sous-sol aux allures surréalistes, il observa longuement les personnes à leurs postes de travail et saisit l'importance qu'avait pour ces blessés de la vie un lieu où ils étaient valorisés. Dès lors, il devint le mécène engagé, la pierre angulaire sur laquelle allait reposer la structure des Impatients. Son appui indéfectible n'est lié qu'à une seule condition : que l'action des Impatients soit toujours axée sur le mieux-être du patient.
Dans le message qu'il livrait aux gens réunis à l'occasion de l'événement *Le Noël des autres – Édition 2000*, une soirée-bénéfice annuelle au profit des Impatients, Robert Dutton nous donnait une autre preuve que la compétence en administration peut aller de pair avec sensibilité et compassion.

Parlant des praticiens de l'art thérapeutique il disait :
Les personnes qui se livrent à ce mode d'expression artistique ont toutes une chose en commun : elles ont terriblement souffert (...) Cette souffrance, pour plusieurs ne fut qu'une page de leur existence, pour d'autres, un chapitre, mais pour certains, c'est un tome encore inachevé.
Chez ces personnes blessées par la vie, l'art prend la forme d'une bénédiction. Il leur offre l'opportunité de puiser dans le plus profond d'eux-mêmes pour en exorciser leurs élans les plus troublants. (...) Les artistes dont nous admirons les œuvres ce soir ne sont pas issus des plus grandes académies. Ils ne se targuent pas d'appartenir à telle ou telle école ou mouvement. Pour eux, théorie et grandes méthodes ne comptent que pour peu. Une théorie d'art aide à la critique et non à la création. Ils peignent par amour et par passion et, à travers ce médium, ils dénudent leur personne intérieure devant leur famille, leurs proches, leurs collègues, leurs concitoyens.

Ces quelques extraits donnent une idée de l'homme qui m'en voudra de lui avoir consacré ces lignes. Mais il était nécessaire de le faire : le centre Les Impatients n'existerait pas sans lui. Je suis convaincu que Robert appréciera le petit texte d'Ethel qui a servi d'introduction... non pas parce que la peinture qu'elle a faite pour les murs pouvait venir de chez Rona mais parce que, aujourd'hui, elle a fait un arc-en-ciel.

L'amour qui donne envie de s'en sortir

Pour faire le portrait d'un fou,
il faut satisfaire à deux conditions...
La deuxième condition, c'est de rester là,
à côté de lui
et de l'aimer assez pour lui donner envie
de sortir de cette prison.

PIERRE FOGLIA

Dans sa chronique du 4 septembre 1993 qu'il avait intitulée *Un sou pour un fou,* Pierre Foglia de La Presse parlait des Impatients. En plus de faire valoir le ridicule du montant consacré par l'État aux malades mentaux, comparativement aux autres programmes d'intervention à caractère social, Foglia mettait en lumière, comme lui seul sait le faire, la condition première, la seule qui compte vraiment, pour arriver à les aider à s'en sortir : rester là, à leur côté, et les aimer assez pour leur donner envie de sortir de leur prison.

Cet amour dont parle Foglia exige des qualités que bien peu parmi nous possèdent.

Je me souviens que le caricaturiste Robert Lapalme m'avait dit un jour, en parlant de la mission que le centre Les Impatients s'était donnée, que la forme d'art qui s'y pratiquait n'intéresserait probablement jamais un très large public : « Seule l'élite intellectuelle d'une société peut s'intéresser à l'art brut », avait-il conclu. Il est peut-être encore trop tôt pour donner tort ou raison au regretté Robert Lapalme. Mais, ici, on ne pourra probablement jamais le vérifier puisqu'on ne peut plus qualifier d'art brut ce que font aujourd'hui Les Impatients. L'art des Impatients est devenu tout simplement autre chose : Une forme d'expression qui se démarque du mouvement européen et qui semble trouver un intérêt croissant auprès d'un large public.

Par contre, le personnel apte à rester là, à côté d'eux, représente une catégorie rarissime de gens qui ont la faculté de se mêler à eux pour qu'enfin, comme dirait Pierre Migneault, ils se retrouvent tous ensemble, du même côté des choses.

Chez Les Impatients, l'équipe des permanents s'est formée progressivement et ceux qui ont réussi à tenir le coup et à rester là, à côté d'eux, ont toute mon admiration.

Tous et toutes ont vécu au contact des patients des expériences humaines enrichissantes, souvent troublantes, parfois amusantes au plan anecdotique.

Édouard Lachapelle, historien de l'art, artiste, conférencier et homme de grande culture, a été parmi les ouvriers de la première heure à l'atelier de Pointe-aux-Trembles dont il se souvient humoristiquement comme *Pointe-aux-Troubles.*

Il raconte son initiation « au monde de ceux qu'alors on nommait encore les patients » :

Il s'agit d'une des toutes premières fois que je travaille à l'atelier de Pointe-aux-Trembles. Lorraine m'a confié un petit groupe de six ou sept patients qui font du dessin et de la peinture autour d'une longue table. Je dois voir à ce qu'ils ne manquent pas de papier, de couleur, de matériel et m'assurer que chacun poursuive en paix son œuvre sans incommoder son voisin. J'ai pour consigne de ne pas intervenir dans l'exécution du dessin. On m'a bien précisé qu'une œuvre est terminée seulement quand son créateur me le dit lui-même. Alors, et alors seulement, je dois prendre la feuille de papier et l'épingler au mur.
L'un d'eux, Michel, se démarque des autres par son allure que je juge immédiatement d'une grande délicatesse et d'une politesse presque exagérée. À plusieurs reprises il pose sur moi un regard inquisiteur. Il se décide enfin à m'adresser la parole :

— Monsieur, puis-je me permettre de vous poser une question qui, j'espère, ne vous semblera pas trop indiscrète ?
— Je vous en prie.
— Ne seriez-vous pas par hasard un véritable Français de France ?
— Moi, un Français ? Non. Je suis Québécois; et pour être plus précis, je suis né ici, à Montréal.
— Bon, ben dans c'cas-là, prends ça pis affiche-le su'l'mur.

Arrivée à Montréal, de Lausanne, en l'an 2000, Sarah Lombardi apportait à l'équipe des Impatients une expérience pertinente acquise, en Suisse, au Musée de l'art brut où elle avait travaillé pendant trois ans. Historienne de l'art, elle a été chargée de cours en littérature suisse romande à l'Université de Montréal tout en poursuivant son travail chez Les Impatients. Elle se souvient de son premier Noël en sol québécois :

Mon souvenir le plus marquant aux Impatients ?
Mon premier concert de Noël en décembre 2000, à la Chapelle historique du Bon-Pasteur (c'était aussi mon premier hiver au Québec !). Les Impatients qui fréquentent l'atelier de musicothérapie étaient tous là et tour à tour, ils s'avançaient sur la scène pour chanter une chanson, réciter un poème ou jouer d'un instrument. Quand ce fut au tour de Martial, personne ne vint sur scène mais on aperçut une ombre (la

silhouette de Martial), qui faisait les cents pas derrière le rideau blanc. Finalement, après 15 minutes de silence entrecoupé de toussotements et de grincements de chaises, Martial apparut avec un harmonica à la main. Alors, il se mit à jouer et à battre la mesure avec ses pieds pendant plus de 20 minutes. Pour sa part, Lucie se lança dans une improvisation vocale entrecoupée de vibratos expressifs. Quant à Jean-Jacques, il s'assit devant un petit xylophone et se mit à frapper délicatement de sa baguette les touches de l'instrument.

Flavie Boucher, préposée à la documentation d'archives et aux fichiers visuels, se souvient de son premier contact avec la Fondation. *La vue de La table*, une œuvre collective réalisée à Pointe-aux-Trembles, a été pour elle l'initiation à ce qu'elle qualifie *la magie des Impatients* :

J'ai eu une révélation, un véritable coup de cœur quand j'ai vu cette grande table de réfectoire à talons hauts avec dessus, les plats remplis de bouffe en trompe-l'œil et les ustensiles peints.

Des convives de carton assis en rang d'oignon qui attendent je ne sais quoi, sous le regard bienveillant d'une énorme souris grise en papier mâché et l'air bête de ce monsieur géant qui lit son journal…
Une mise en scène extraordinaire digne du « twilight zone ! ».
Je découvrais la magie des Impatients.

Pierre Bellemare est un artiste multidisciplinaire. Il est probablement le modèle type dont parlait Foglia : celui qui reste à côté d'eux et leur donne envie de sortir de leur prison. Les projets qu'il a réalisés au fil des ans avec ceux qu'il appelle « la folle équipe » démontrent jusqu'où il est possible de pousser l'exploration de l'imaginaire. C'est avec Pierre que les Impatients ont créé les « Vire-capots », un projet insolite où chaque participant devait transformer un vieux veston en un objet d'art. C'est avec lui aussi qu'ils ont dû inventer des personnages en partant de vieilles chaussures… et en imaginant la vie de celui ou celle qui les avait portées. Les sculptures en fil métallique. Les paradis. Il leur a même fait réaliser des livres d'artiste !

Pierre Bellemare a écrit le petit texte que voici :

PAROLES HÉROÏQUES
ENTRE LE PREMIER
ET LE DEUXIÈME DESSIN :

« Hier j'ai pensé à l'année bissextile. Oui, j'ai pensé à l'année bissextile. Ça c'est une belle pensée. C'est rare qu'on pense à ça. »

De Jean-Claude, le maître du minimalisme zen, pur et dur.

« Aujourd'hui je vis seulement à regarder les autres, parce que ça tourne trop vite dans ma tête. »

De Carole, celle qui voulait tant retrouver sa voix.

« Ici vous nous prenez comme nous sommes. Sans poser de questions, avec notre grosse bedaine. »

Du jovial Aurélien qui savait créer un visage avec un simple fil de fer.

« Je ne sais pas si c'est de l'art, ou si c'est pas de l'art ce que l'on fait ici, mais chose certaine le temps qu'on est ici, on reste pas à brailler chez nous. »

De Louise qui recommence toujours un nouveau jardin à chaque projet.

Voilà pourquoi chaque année est bissextile à la Fondation.

Plus de courage.
Plus de création.
Plus d'humour.
Avec seulement un grain de sérieux.

Et la montagne
A dix ans.

Michèle Boucher est une collaboratrice précieuse. Venue du Musée de Lachine où elle avait œuvré plusieurs années. Elle met au profit des Impatients son expérience muséale et sa sensibilité que l'on peut déceler dans le petit texte qu'elle a commis pour nous :

Ça fait bientôt cinq ans que nous travaillons ensemble.
Je dis nous parce que nous c'est eux.
Nous apprenons ensemble les sens.
Un jour une Impatiente m'a écrit
« Vous êtes une petite fleur de l'impossible »...
Ça voulait presque tout dire.

Une conclusion qui n'en est pas une

Être artiste, c'est ne pas compter,
c'est croître comme l'arbre qui ne presse pas sa sève,
qui résiste, confiant, aux grands vents du printemps,
sans craindre que l'été puisse ne pas venir.

RAINER MARIA RILKE

La conclusion reste à venir. Celle avec un grand C. Celle qui viendra après l'été quand, ayant résisté aux grands vents du printemps, Les Impatients auront la possibilité de n'avoir plus à compter sur les si, sur les peut-être, pour préparer le calendrier de la prochaine année.

Lorsque, en préparation de cet ouvrage, j'ai consulté le considérable amoncellement de documents qui constituent les archives officielles des Impatients, j'ai été saisi par l'aspect ludique qui se dégage des milliers de photos souvenirs des événements auxquels ont pris part le public et les patients. De cette première constatation il faut conclure que, comme les enfants, les personnes souffrant ou ayant souffert de troubles psychiatriques répondent favorablement à la notion du jeu.

Et le public aussi.

Le nôtre, qui croît sans cesse, n'a pas hésité à endosser la tenue de soirée – cravate noire, taffetas et dentelles – pour se rendre au Musée d'art contemporain de Montréal y jouer au Bingo, l'un des nombreux événements-bénéfices qu'il a fallu inventer pour poursuivre l'action entreprise auprès de la communauté.

Bingos cravate noire, encans, expositions, Saint-Valentin, Noël, tout semble tourner à la fête dès qu'il s'agit de trouver des sous pour assurer notre survie. Et la contribution de nos bénéficiaires à ces fêtes n'est pas du tout négligeable.

Par contre, l'étude des milliers de diapos des œuvres cataloguées depuis le début des ateliers démontre que Les Impatients se sont créé une niche bien à eux. L'on sent presque, en regardant les œuvres des premières années, des tentatives de se rallier au courant de l'art brut tel que défini par Jean Dubuffet, puis une lente progression qui nous amène ailleurs, vers un créneau que l'on identifie de plus en plus comme celui de l'art des Impatients.

Comment peut-on mesurer le succès d'une telle entreprise ? De plusieurs façons. Lorraine Palardy résume ses impressions des dix premières années en soulignant le nombre de gens exceptionnels qui ont gravité autour d'elle, tant chez les aidants que chez les aidés. Parmi ceux du premier groupe elle mentionne – en plus des permanents, des amis et des bénévoles – le haut calibre de celles et de ceux qui ont successivement siégé sur son conseil d'administration et dont

Sortant de l'ascenseur, un groupe d'Impatients arrive au Centre pour la soirée-bénéfice *Le Noël des autres*, édition 2000. Dans l'ordre habituel : Renée L., Louis V., Gilbert P. et François D. Le spectacle sera entièrement présenté par eux et leurs collègues.

l'engagement allait bien au-delà de la participation aux réunions. Parmis ceux du second groupe, elle constate que plusieurs ont été d'une grande assiduité depuis le début et ajoute que plusieurs fois, elle a été témoin de transformations profondes. « Je préfère ne pas mentionner de cas précis mais il est bien évident que, presque sans exception, se sont des gens si attachants... on ne peut faire autrement que de les aimer. »

Cet amour, on le lui rend bien. Rares sont les occasions où, lors d'un événement public, Lorraine ne soit pas l'objet d'un hommage imprévu — minutieusement préparé ou improvisé — de la part d'un Impatient, d'une Impatiente, ou d'un groupe d'entre eux. De plus en plus, ils tiennent à lui exprimer leur reconnaissance. « Après toutes ces années, je devrais désormais m'y attendre, mais ils me surprennent à tout coup. »

Le Centre Les Impatients est un pont qui relie les deux rives d'une société où il est de plus en plus difficile de comprendre de quel côté se trouvent les gens les plus troublés.

Le psychiatre Pierre Migneault n'a jamais eu de fonction officielle chez Les Impatients. Mais aussi longtemps que je me souvienne, il a été présent aux événements qui s'y sont déroulés et ses propos ont souvent été l'écho de nos préoccupations.

Il n'est donc pas étonnant que le destin l'ait choisi pour être témoin d'une preuve de l'aboutissement de la difficile quête des Impatients.
Cela s'est produit en février 2002, lors de la soirée d'ouverture de *Parle-moi d'amour,* l'encan silencieux annuel où le public est invité à miser au cours d'une période de deux semaines sur les œuvres des patients et celles de peintres professionnels, inspirées du thème de l'amour.
La soirée avait été mouvementée. Les enchères des premières heures étaient de bon augure : tout indiquait que les entrées de fonds allaient atteindre des niveaux records.
Les invités quittaient par petits groupes. Ne restaient plus dans la salle que Lorraine Palardy, le Dr Migneault et quelques retardataires quand la porte de l'ascenseur s'ouvrit sur un clochard traînant un sac de plastique qui devait contenir tous ses biens.
« J'ai vu la pancarte, en bas, j'suis v'nu au vernissage », dit-il en posant son sac près du mur.
Migneault n'hésita pas. Il versa un verre de vin à l'arrivant et l'accompagna à travers l'exposition : deux inconnus, sur le même côté des choses, assumant clopin-clopant la fascinante et redoutable condition humaine.

Le Centre Les Impatients est un pont...

Deuxième partie

DIX ANNÉES D'IMPATIENCE

Le mot de Lorraine Palardy

Je connaissais par mon métier de galeriste l'art contemporain. J'avais souvent palabré avec mes amis artistes sur ce qui était bon ou pas bon, dépassé ou pas dépassé. Il m'avait même été donné quelques fois avec eux de fréquenter l'art avec un grand A. Par-dessus tout, j'aimais de ce métier le plaisir d'en partager les découvertes avec mes clients, avec mes amis.
C'était avant 1992.
En 1992, je suis tombée dans la potion magique : l'art des fous. J'y ai vu la misère humaine, l'isolement et l'angoisse côtoyer la beauté. Les Impatients m'ont appris que la maladie mentale pouvait être non seulement une cause mais aussi une source d'inspiration.
Comment résumer mes dix années à la Fondation ?
Au-delà des souvenirs faciles – les histoires, les rires et les conseils de Johanne, Suzanne, Édouard, Pierre, Michèle, Pascal, Lucie, Denise et les autres – ces collègues généreux qui ont jour après jour assumé avec moi la suite des choses, je conserve en mémoire des images repères qui ont marqué de façon particulière le cheminement des Impatients. L'une de ces images est celle d'un monsieur dont la présence parmi nous était si discrète que je ne connais même pas son nom. Il fréquentait l'atelier de Pierre Bellemare où, lors du projet « Les vire-capots » il devait transformer un vieux veston en un objet original.
Tandis que la plupart des autres participants se contentaient de décorer le veston qu'on leur avait remis, pendant des semaines et des semaines je l'ai vu travailler d'abord à découdre morceau par morceau ce vieux veston brun dans un coin de l'atelier pour ensuite le transformer avec patience et minutie en ourson.
Son ourson je l'ai gardé. Il ne l'a jamais réclamé. Il est un peu « croche » mais il représente toute la tendresse de ceux et celles qui n'ont pas eu d'enfance...
Après dix ans, leur contact continue de m'étonner. Ils sont devenus des exemples de tolérance qui m'ont fait voir la futilité des apparences et les énormes contradictions qui meublent nos existences. Ils m'ont fait apprécier davantage les petits bonheurs quotidiens, m'ont fait rire, m'ont fait pleurer et m'ont amené à réfléchir sur l'art pour l'art, loin de propos inutilement compliqués.
Avec eux, avec tous ceux et celles qui ont tenu la route avec nous depuis dix ans, j'entreprends la prochaine décennie avec la certitude qu'elle nous réserve encore de bien belles surprises.

Lorraine B. Palardy
Directrice générale

La balsamine

« Il faut qu'il y ait du chaos en soi
pour donner naissance à une étoile dansante. »

NIETZSCHE

La psychiatrie est une discipline qui souffre depuis sa naissance d'une ambivalence fondamentale. Tantôt elle se conforte dans un environnement scientifique rigoureux, impitoyable, dont le dernier des avatars est la médecine basée sur les données probantes (evidence based medicine). Tantôt elle s'éclate, s'ouvre sur des horizons marginaux, désireuse de se rapprocher de la démesure, de l'Ubris comme dirait Edgar Morin, dans une pratique permissive, libertaire et créatrice. Cette démesure, selon lui, est le propre de l'Homo sapiens « contrairement à la croyance reçue, il y a moins de désordre dans la nature que dans l'humanité ». Quel émerveillement en effet que de se retrouver au sein d'une grotte profonde, spectateur d'un art rupestre dont les ocres bestiaires annoncent les formes sauvages de Pellan ou de Riopelle. On y entend presque le bruit du galop des bisons et des cervidés. C'est de ce bruit dont il est question aux Impatients : un galop de dix ans déjà.
Cela nous plonge dans les racines; bien avant un enseignement sur l'art, sur la technique, il existait une représentation. Curieusement, un des premiers musées d'art brut que je visitai fut l'ARACINE, en France, qui regroupait « un bon nombre de ces formes irrégulières et brûlantes », si familières aux collections d'art brut.

Deleuze, le philosophe, avec son ami Guattari, avait même créé le concept de rhizome, pour évoquer les agencements qui dépassent le dualisme racine-arbre. Combien de fois ne sommes-nous pas en effet coincés dans ces dualismes paralysants : patient/médecin; psychothérapie/pilule; dedans/dehors; cure libre/cure fermée, motivé/paresseux, communautaire/hospitalier, artiste/« patenteux ». Peu à peu la société s'est mise à ne plus supporter le non-planifié, le non-délimité par un plan de soins, par un formulaire résumant le client dans son entier. Même les réseaux intégrés de soins, dernier gadget du glossaire du Ministère de la Santé, ne supportent plus le chaînon manquant. Il faut lutter contre le trou, le vide. Je me souviens de ma colère menant à l'abolition d'un formulaire de six pages, conditionnel à l'acceptation du patient à l'atelier d'art brut de l'hôpital Louis-H.-Lafontaine, grand créateur des formulaires, pseudo garantie de la qualité de la réadaptation sociale. Jean Dubuffet s'était sans doute retourné dans sa tombe.
Sortir du dualisme, créer des poches de vide, des espaces de création, du temps libre, rescaper des plans d'intervention, des dossiers médicaux et des fiches d'évaluation, voilà ce que réclament Les Impatients ! Un espacement-mouvement de

liberté, rien d'autre et enfin !

Dans notre projet des Impatiences Photographiques en 1999, nous avions d'une certaine façon, tenté de « crabouiller » la ligne qui séparait le photographe-psychiatre du néophyte-patient. Ce projet, utilisant des appareils jetables, fut peut-être un exemple de la réalisation d'un rhizome.

Dans le règne végétal, Impatience, désigne en fait la balsamine, plante ainsi nommée parce que son fruit réagit au moindre contact. Je me plais à penser que lors de mes passages dans le lieu des Impatients, sur Sherbrooke, à Louis-H.-Lafontaine ou à Pointe-aux-Trembles, l'Impatiens balsamina, plante cultivée dans les jardins, à cause de la beauté de sa fleur, dégage un parfum qu'il est bon de continuer à respirer.

Emmanuel Stip
Psychiatre et photographe

La couleur des impatients

« Quel âge as-tu, Jean-Paul ? »
« J'sais pas. »
« Tu ne sais pas en quelle année t'es venu au monde ? »
« J'm'en souviens pas. J'étais trop petit. »
JEAN-PAUL H.

Les motos c'est comme les moineaus
Ça s'envolle et ça reparre aussitô
GAÉTAN D.

Mes parents m'ont dit
que je m'appelais Manon.
MANON F.

Adèle elleétait trop joliE, elleavait une garderobe toutefleuries… Elle est ma mèremais pas; mamaman ! jétaisason servicenuit et jours. Tellement que je, me, moin'existais pas, plus
RAYMONDE M.

Pour moi le bonheur c'est faire l'amour c'est habiter avec une femme dans une maison...
ROMAIN P.

15 juillet 1998

Chère Jocelyne

Je suis très amoureux de vous, vous êtes une vraie femme, vous avez beaucoup de caractère .
Je tiens à vous dire que pour l'instant je suis disponible pour une relation sérieuse mais attention! J'aurai seulement une femme dans ma vie. Pour l'instant j'ai rien de sérieux à l'horizon.

À bientôt !
VINCENT

Le bonheur pour moi c'est de sentir les cheveux de mon bébé Nicolas.
JOSÉ B.

Le bonheur c'est d'avoir des enfants et une femme puis un char, une maison et de l'argent.
SYLVAIN C.

Mon anniversaire est le 18 janvier 1973 pis ma mère a eu 4 chats. J'ai travaillé à faire des livres et aussi sur Victoria, des brosses. J'aime faire des poèmes.
JANIS

Ma famille se compose de moi, ma mère et ma sœur. Le père ne compte pas vraiment car il est parti il y a longtemps.
FRANÇOIS C.

Le bonheur c'est quand c'est l'heure...
LISE L.

L'art c'est quand on regarde une émotion.
JEAN-CLAUDE B.

Je me suis mariée deux fois. J'ai voyagé avec ma mère. Je n'ai pas vue la vie se dérouler. J'ai eu deux enfants, un gars, une fille. Ma fille demeure en France mon gars est décédé à l'âge de six ans.
DOLORÈS S.

Le bonheur c'est un baiser de ma fille que je ne vois pas souvent.
ANONYME

Je suis née avec deux garçons. On a été adopté chez une fermière avec douze autres enfants. Ma mère adoptive, en plus de nous élever, faisait des noces. En vieillissant on a servi dans les noces et on a fait les champs.
CARMEN C.

J'ai travaillé chez Crôteau en stages vendeuse dans du linge j'ai travaillée dans un magasin j'ai travaillés dans un hôpital à Saint-Joseph de la providence je pliais des génilles et je travaillaits dans une librairie dans les livres… j'ai travaillés dans une compagnie de viande de saucisse et de poulet au centre immatriculé conception je faisais de l'entretien ménager du ménage…
ANONYME

Aglaé Latendresse, 102 ans. Elle est née à Ste-Tite des Caps. Elle est veuve. Elle n'a pas eu d'enfant. Elle ne sait ni lire ni écrire. Elle a beaucoup de cœur, elle a aimé beaucoup mais n'aime plus. Elle attend.
ANONYME

Le Bon Dieu est un père avec un cœur de mère.
RAYMONDE M.

Œuvres

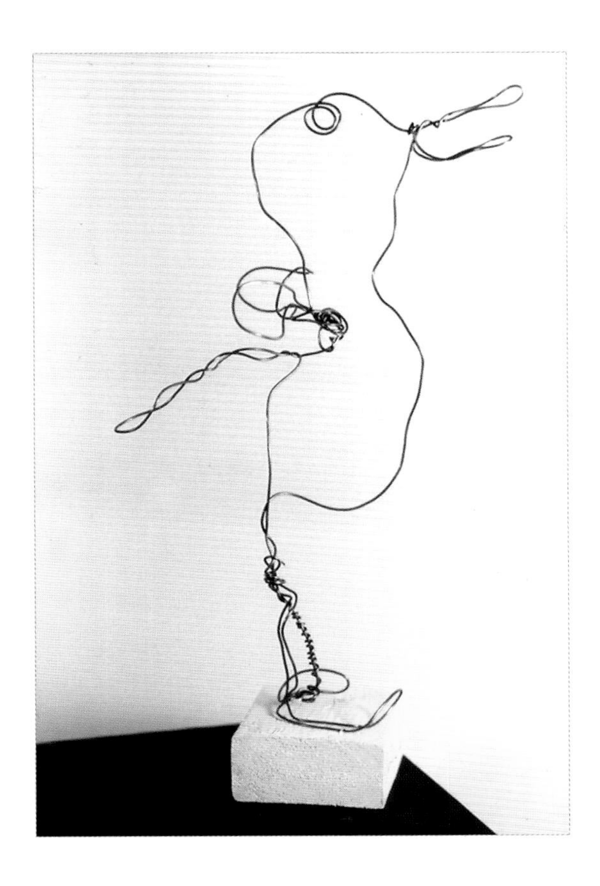

3 – Anonyme (projet collectif)
Oiseau,
fil métallique et bois, 1998

4 – Martial L.
La serveuse (détail),
gouache, papier mâché, 1998

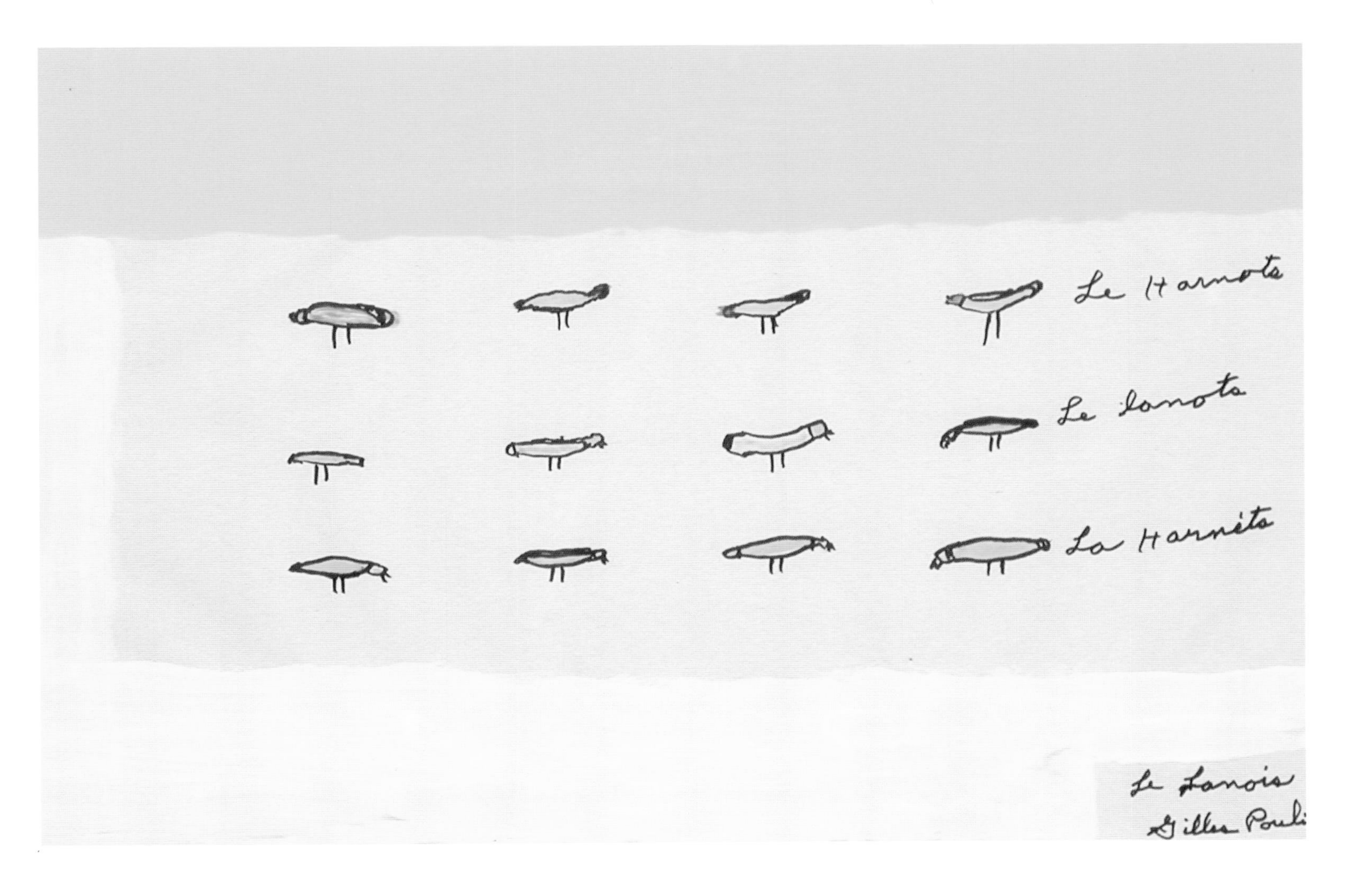

5 – Gilles P.
Le Lanois,
peinture, encre sur papier, s.d.

6 et 7 – Philippe L.
Le char de mon père,
aquarelle sur papier, (1992 - 2002)

8 – (À gauche) Jean-Paul H.
Maisons,
crayon feutre sur papier, s.d.

9 – (Ci-haut) Jean-Paul H.
Sans titre,
crayon feutre sur papier, s.d.

10 –Jean-Paul H.
Sans titre,
bâtiment, bois peint à la gouache, 1998

11 – Jean-Paul H.
Une maison,
crayon feutre sur papier, 1998

12 – Normand H.
J'ai pu d'idée,
techniques mixtes sur papier, 1992

13 – Lucie D.
Sans titre,
gouache sur papier, 2001

14 – Lucie D.
Veger Marie Mère Rousri appation,
gouache sur papier, 2001

15 – Lucie D.
Sœur Émilie Caline 1800 à 1842,
gouache sur papier, 1994

16 – Lucie D. (ci-haut)
Saint-vendredi,
gouache sur papier, s.d.

17 - Marie-Reine B.
L'Immaculée-Conception,
pastel et aquarelle sur papier, 1993

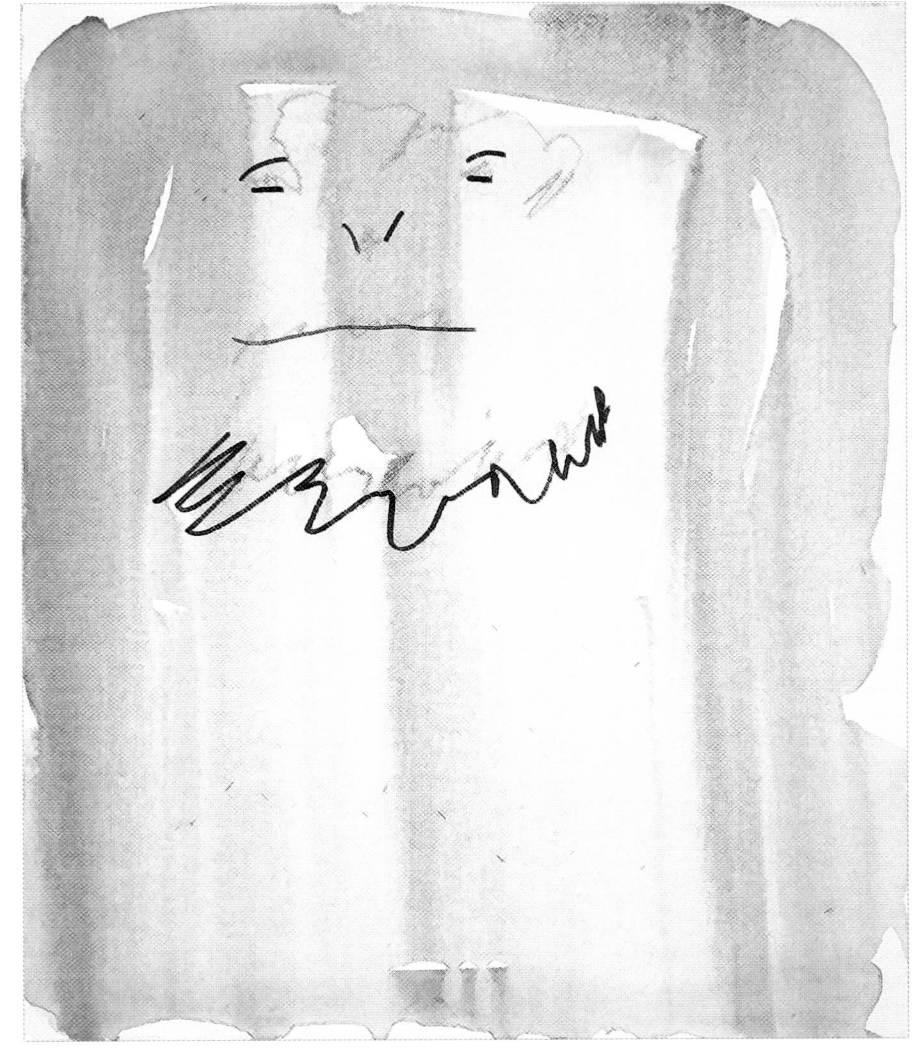

18 – Daniel H.
Anisulo,
gouache sur papier, 1991

19 – Jean-Claude D.
Mon psy,
feutre, aquarelle et encre sur papier, 2002

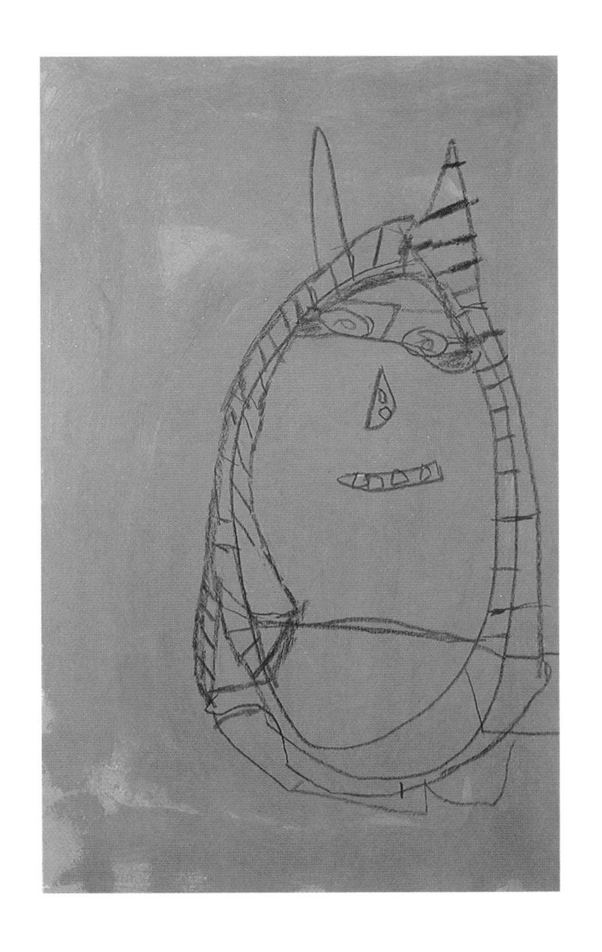

20 – Michel P.
Batman,
gouache sur papier, 1999

21 – Michel P.
Les Canadiens juniors,
gouache sur carton, 1992

22 – Michel P.
Sans titre,
crayon sur papier, 1998

23 – Michel P.
Sans titre,
gouache et crayon sur papier, s.d.

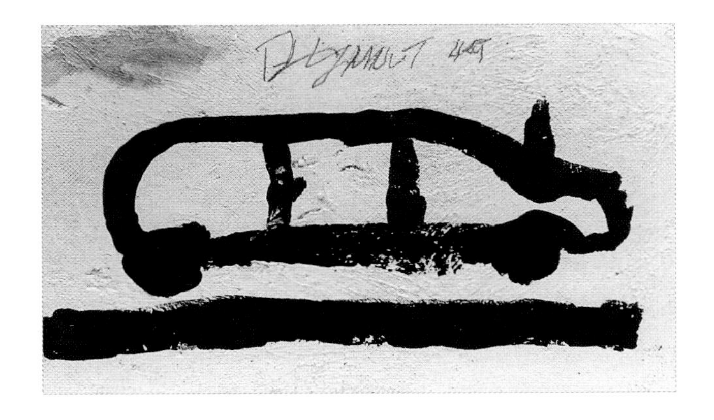

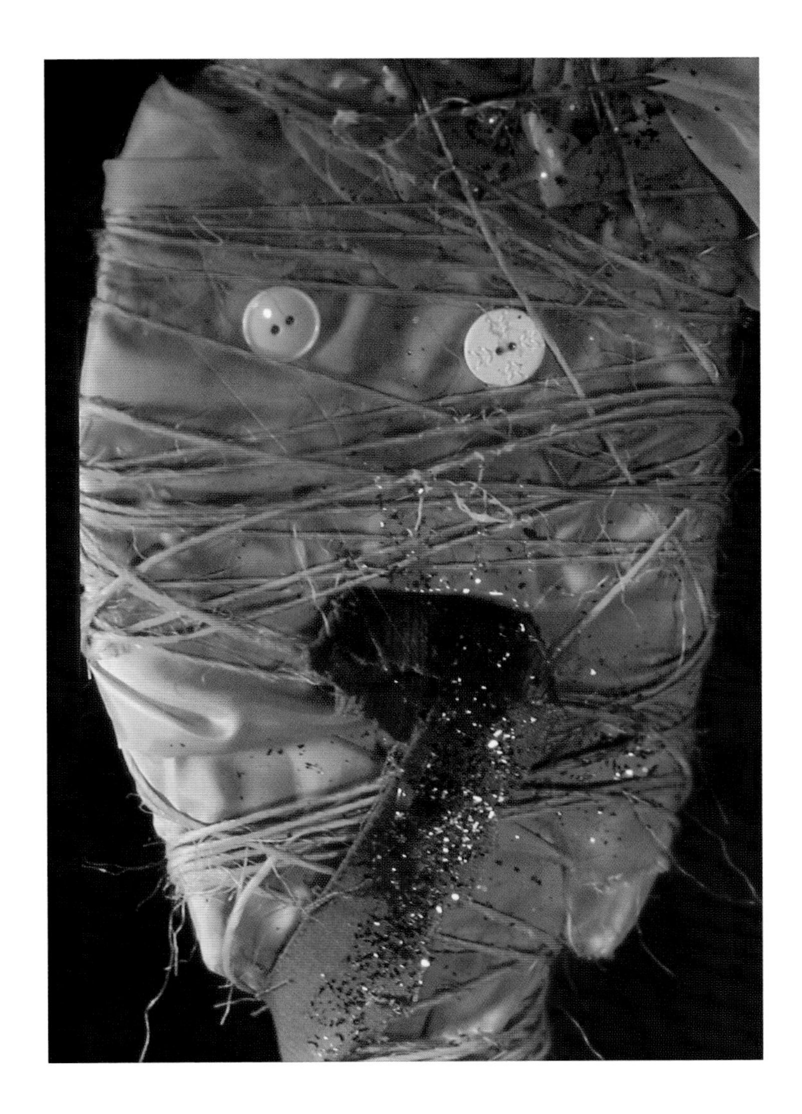

24 – Gaston M.
Plymouth 49,
fresque, 1994

25 – Jean-Claude D.
Sans titre,
tissu, corde, boutons, paillettes, 2001

26 – Romain P.
Deux hommes et une femme,
aquarelle et crayon sur papier, 2001

27 – Romain P.
Autoportrait,
crayon sur papier, 1990

28 – Romain P.
Locomotive,
techniques mixtes, s.d.

29 – Romain P.
Bateaux,
gouache sur papier, 1993

30 – Roger D.
François d'Assise,
gouache sur papier, 1996

31 – François D.
Au nom de Ben Laden,
crayon feutre sur papier, 2002

32 – François D.
Le bonheur,
crayon feutre sur papier, 2001

Le Bohneur
Pour moi François
c'est le mariage
la familles
les enfants
la musique
les téléromans
et les vedettes.
et les jolies Demoiselle
et les empatients de
l'art thérapeutique
et Ben Laden

adèle
elleétait trop
JoliE, elleavait
unegarderobe
toutefleuries ,,, Elle
est ma mèremais
pas; mamanram!
jétaisasonservicenui
et jours Tellement qu
je, me, moi nexistais
pas, plus

Raymonde
de la riverain
12412 NtDame est

33 – Raymonde M.
Adèle,
texte manuscrit, 2002

34 – Jacques M.
L'homme enragé,
gouache sur papier, 1996

35 – Antonio M.
Masque,
peinture sur papier mâché, 1996

36 – Antonio M.
La chambre d'hôpital,
crayon de plomb et crayon de couleur sur papier, s.d.

37 – Antonio M.
Salon funéraire,
crayon de plomb et crayon de couleur sur papier, s.d.

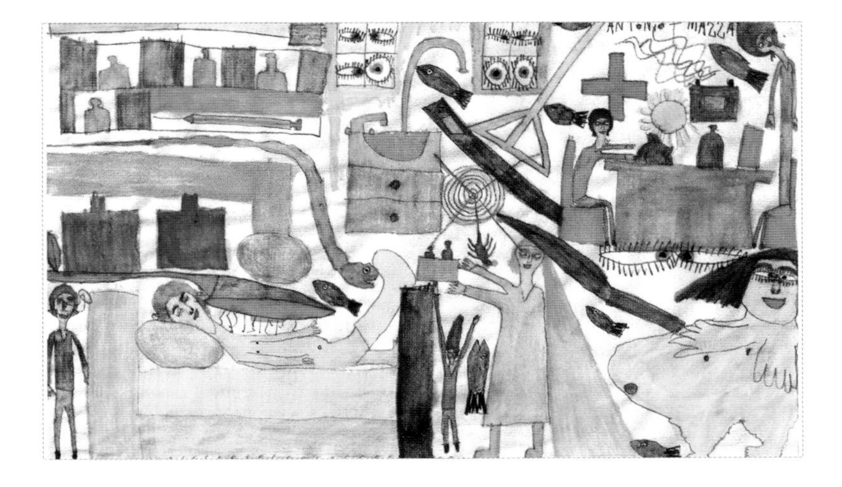

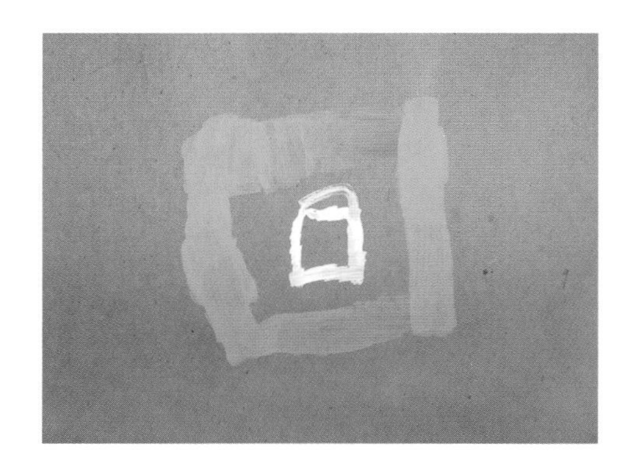

38, 39, 40 – Gilles D.
Sans titre,
gouache sur papier, s.d.

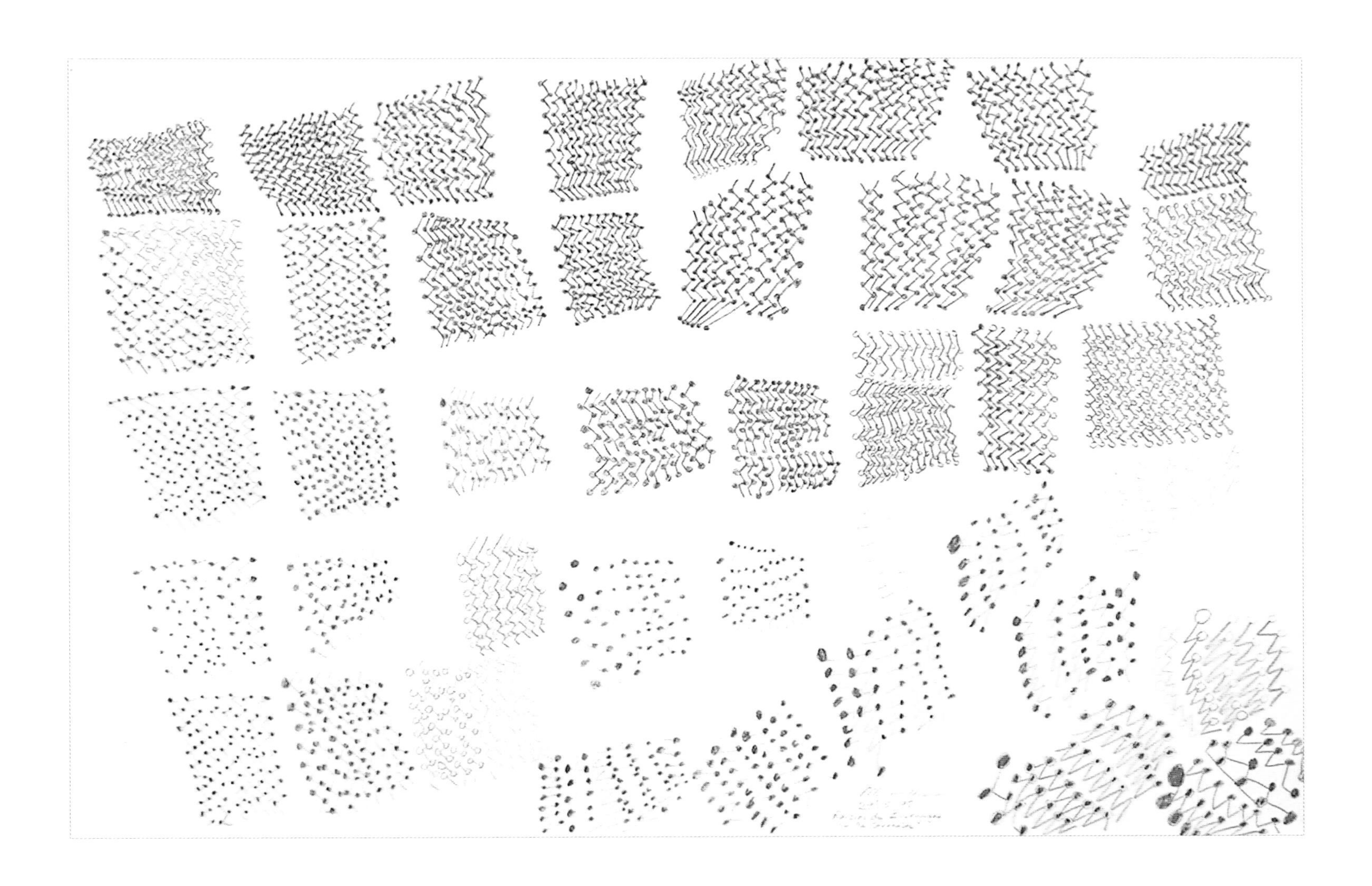

41 – Michel N.
Raisins de Bourgogne ou de Grenoble,
crayon feutre sur papier, 1997

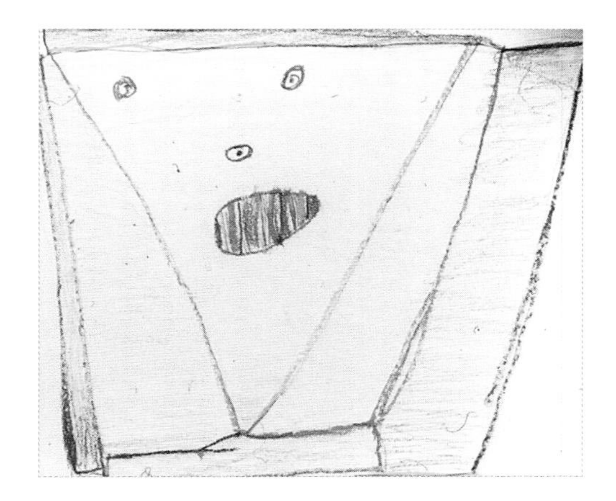

42 – Luc F.
Nommez-moi,
gouache sur carton, 1994

43 – Anonyme
Sans titre,
crayon sur papier, s.d.

44 – Gaétan D.
Portrait,
gouache sur papier, 2002

45 – Éric V.
Sans titre,
crayon de cire sur papier, 1999

46 – Jean-Claude D.
Sans titre,
tissu, bijoux, acrylique, 2001

47 – Bette
L'éléphant,
encre sur papier, 1992

Témoignages

48 – Denis G.
Une fleur,
pastel sur papier, 2002

« L'homme qui fait le plus rien au monde »

Cela fait maintenant plus de cinq mois que j'accompagne trois individus aux ateliers Les Impatients.
Inspirés par l'accueil qui nous a été fait lors de la journée portes ouvertes, nous nous étions empressés d'y inscrire trois usagers parmi la cinquantaine qui fréquente l'Envolée, un centre de jour à Longueuil où je travaille comme intervenant.
Disons-le d'emblée, nous avons choisi trois personnes et j'aurais aimé en choisir trente.
J'ai connu Denis G. il y a cinq mois. On m'avait demandé de le visiter car nous essayons de maintenir un minimum de liens avec les personnes isolées et réfractaires, question de garder un œil sur leur état de santé et de répondre à leurs besoins primaires. Quand je l'ai connu j'ai été si impressionné par cet individu, qui évite le contact des yeux, entretient très peu de rapports avec les autres et n'arrive à balbutier que quelques mots à peine compréhensibles, que je l'avais surnommé « l'homme qui fait le plus rien au monde ».
Essentiellement, il passait ses journées couché sur son lit, dans une chambre vide. Aucune plante, rien sur les murs, les fenêtres fermées sur une odeur d'une telle fétidité que la première fois je n'avais pu y rester plus d'une minute. Denis, à ma connaissance, et j'ai interrogé plusieurs personnes, n'a jamais rien demandé à personne. Au fil des semaines, nous l'avons soutenu dans des apprentissages d'hygiène. L'assiduité et la concentration de Denis pour ses dessins et ses peintures nous ont impressionnés. Malgré le plaisir évident qu'il prend à créer, Denis semble encore à bonne distance de prendre l'initiative de peindre ou dessiner sans qu'on le lui propose.
Ce que j'ai vécu à ce jour avec Denis et ce dont nous pouvons tous témoigner ici à l'Envolée, c'est de l'impact éminemment positif de l'expérience créative sur une personne parmi les plus hypothéquées.
Les Impatients ont permis un bond qualitatif extraordinaire dans la vie tellement morne d'un individu qui, comble de l'ironie, se révèle un artiste naturel et talentueux. Grâce à vous, « l'homme qui fait le plus rien au monde » contribue aujourd'hui par une généreuse abondance de couleurs à un monde où le soleil ne brille pas pour tous.
Après un peu plus de cinq mois de fréquentation des Impatients, je n'ai que des éloges et des regrets à formuler. Des éloges aux art-thérapeutes et à l'équipe et des regrets que nous ne puissions, pour le moment, offrir un lieu de créativité à tous les autres qui restent emmurés dans leurs chambres enfumées, dans la sédation de leurs médicaments, ou dans leur solitude schizoïde. Je m'en voudrais enfin de ne pas vous remercier personnellement pour tout le bien que vous me faites en me procurant un moment de paix et de sérénité des plus fortifiants dans le cours normal d'une semaine surchargée en réalités graves.

Marc Laforest, juin 1999.

Quelques souvenirs

C'est toujours avec une vive émotion que je me remémore la naissance de l'atelier d'art brut. Laissez-moi vous raconter quelques souvenirs...

En mai 1989, on m'a demandé d'être sage-femme pour assister à la naissance d'un « petit projet ». Il s'agissait d'inviter l'ensemble des personnes hospitalisées à l'Hôpital Louis-H.-Lafontaine à venir s'exprimer spontanément avec des matériaux d'art plastique et ce, pendant une semaine. Ça été un débordement de couleurs et d'images plus touchantes les unes que les autres. De nombreuses personnes avaient vécu enfermées physiquement et émotionnellement pendant vingt ans et plus. L'atelier devenait pour eux un lieu où extérioriser leurs paysages intérieurs troublés avec des moyens socialement acceptables et valorisants.

Cependant, la vie du nouveau né était menacée dès le début car aucun budget n'avait été prévu pour assurer sa survie à long terme. C'est grâce au support indéfectible et à la détermination de plusieurs bonnes fées que nous avons pu assurer la continuité de mois en mois. Je pense à Lina Dessureault de la Fondation québécoise des maladies mentales, à Lyette Racicot, super bénévole et Bella du Repos, éducatrice à l'hôpital, qui ont toujours répondu « présentes ».

À travers les hauts et les bas de ce temps de petite enfance, il y avait Normand, Lisette, Romain et Jean-Marc, entre autres, qui retrouvaient une voix pour dire qu'ils étaient vivants et qu'ils avaient quelque chose à dire. Nombreuses sont leurs œuvres qui font partie maintenant de la collection permanente de la Fondation pour l'art thérapeutique et l'art brut du Québec.

Au terme d'une première année, il était évident que cette activité répondait à un besoin fondamental des personnes hospitalisées en psychiatrie. Toutefois, ce n'était pas le beau fixe tous les jours car nous avons dû subir plusieurs déménagements de locaux dans l'hôpital. Aussi j'ai eu quelques sueurs froides quand l'un ou l'autre décompensait à l'occasion. Mes connaissances en psychopathologie bien théoriques jusque-là se sont vite concrétisées.

Il y a eu aussi des moments gratifiants pour tous quand nous avons organisé la première exposition à la bibliothèque des bénéficiaires de l'hôpital et ensuite l'invitation pour exposer en collaboration avec l'Association des galeries d'art contemporain de Montréal à la Cité de l'image. Le grand moment a été l'exposition à la Maison de la culture Mercier et les revues de presse élogieuses.

Après trois ans de vie précaire, il a été question de créer une fondation pour assurer santé financière et longue vie au bébé.

Voilà cette année 10 ans que Lorraine B. Palardy a fondé cet organisme qui supporte toutes les activités de l'atelier d'art thérapie et d'art brut. On sait que grâce à son talent et à sa vision, le succès éclatant et le rayonnement de cette entreprise ne font plus de doute.

Depuis quelques années, je suis à la retraite et je me considère maintenant comme une grand-mère bienveillante qui chérie l'enfant qu'elle a vu naître.

Affection à tous.

Félicitations et longue vie à la Fondation et à ses collaborateurs.

Suzanne Hamel
Art-thérapeute

C'est la fête de nos dix ans

Mes dix dernières années ont été portées par la dynamique de l'expression artistique en tant qu'artiste et art-thérapeute. Depuis mes débuts à l'atelier d'art brut de l'Hôpital Louis-H.-Lafontaine avec Suzanne Hamel comme maître d'œuvre au « loft » du centre-ville en passant par le « chalet » de Montréal-Est, amicalement nommés ainsi par le personnel, je me suis nourrie de ce que j'aime le plus, la création artistique, avec ceux qui la pratiquent au quotidien, mes « artistes de l'art brut ».

Mon cœur d'artiste y a trouvé juste assez de liberté, de délinquance et d'implication sociale pour rendre compte aujourd'hui d'un temps et d'un espace riche de sa différence en compagnie de personnes en processus d'auto-construction. Le « petit d'homme » comme le nomme tendrement Françoise Dolto, peut ici retrouver son coffre d'outils laissé sur la table quelques années auparavant et s'en servir pour se réparer, se soigner et redécouvrir le jeu.

Bien sûr ma formation et mon expérience sur le terrain m'ont appris à offrir le contenant nécessaire à la production d'une image. Dans ce cadre bienveillant assuré par la relation, l'espace de l'atelier, l'horaire, le choix du format de papier et du matériel d'art, chaque personne peut y faire son nid. Un accompagnement, un mot d'encouragement, une invitation à délier le geste sans plus. Soutenir le plaisir de dessiner et peindre, éviter les regards indiscrets et les interprétations hâtives.

C'est alors qu'on peut y voir éclore « quelque chose ». Quelque chose d'inattendu, de fragile, d'étonnant, de renversant.

C'est parfois l'expression du pur plaisir, de la colère, de l'angoisse qui apparaît au premier geste, mais, comment dire le vide, l'absence, l'abandon, le chaos, la fragmentation, la négation de soi. Il faut prendre un risque immense pour traverser des états semblables. L'amour et la peinture peuvent quelquefois réussir à faire émerger « quelque chose ».

Après les risques et les tâtonnements, chaque personne tente d'y trouver son vocabulaire personnel et son expression individuelle lui reflétant ainsi une image d'elle-même. « J'aime peindre des fleurs, des amoureux et des saintes faces » comme dit l'une d'entre elles. Les membres du groupe encouragent « trouvent ça beau ». Ils sont heureux.

Je terminerai en citant une phrase de deux Impatients : « J'ai épousé le cœur de l'atelier » et celle-ci encore : « La vie vaut la peine d'être vécue, je demeure optimiste ».

Johanne Proulx
Artiste
Art-thérapeute aux Impatients

Musicothérapie : lumière sonore

Trouver le son qui convient au moment présent, le son qui provient du centre de l'être, le son qui guérit...
Les Impatients explorent, créent et s'amusent avec les sons de leur voix ou des instruments qui les attirent. Ils mettent à contribution un aspect d'eux-mêmes si sain et puissant. Leur créativité qui s'exprime dans la spontanéité attise le feu sacré. Cette lumière intérieure prend alors de plus en plus de place, en éclairant les coins sombres de l'être. Plus la lumière grandit, plus une transformation bienfaisante s'effectue.
Les émotions intenses, les états d'âme torturés, toute la panoplie de l'expérience humaine s'exprime et crée un espace intérieur pour une plus grande lumière. Les nœuds de tension laissent place à la fluidité; les peines s'estompent et laissent entrevoir l'espoir; les idées noires s'effacent pour des paysages sonores hauts en couleur.
Parfois le son des autres Impatients provoque, stimule, amène un changement. La transformation qui s'effectue chez l'un devient contagieuse. L'autre exprime pour nous des émotions qui pèsent trop pour les remonter à la surface. Parfois le chaos des sons brasse la matière première et devient le fertilisant qui fait grandir la quiétude, la joie, la paix intérieure. À leur rythme, les Impatients harmonisent leur musique intérieure...

Pascal Comeau
Musicothérapeute

La Fondation a été pour moi un tremplin vers la vraie vie. J'aurais aimé la connaître lorsque j'étais malade mais, dans un autre sens, je n'aurais pu y travailler et j'ai compris que c'était ma chance d'y travailler.

Mon expérience passée en souffrance m'aide à les comprendre et à les aimer tels qu'ils sont. Au moins ça vient donner un sens à ma souffrance passée. Je ne l'ai pas vécue pour rien et si je peux aider, ne serait-ce qu'une personne, ça aura valu la peine. Et en passant, j'adore cette équipe où c'est l'être humain qui est « priorisé ».

Monique Surprenant

Le mot du président :

ET DEMAIN CHEZ LES IMPATIENTS, CE SERA TOUJOURS...

Le rendez-vous de l'amour :

- L'amour de l'art, ce médium qui traduit et souvent reflète la pensée et l'émotion profonde de l'être;
- l'amour de l'expression de l'âme tantôt souffrante, tantôt heureuse;
- l'amour des hommes et des femmes, quels que soient leur statut et la qualité de leur existence.

Le rendez-vous de la générosité et de l'engagement :

- La générosité et l'engagement du personnel enthousiaste qui procure aux Impatients de l'écoute, de la confiance et de l'admiration;
- la générosité et l'engagement de nombreux artistes québécois qui donnent de leur temps et de leur talent en compagnie et au bénéfice des Impatients;
- la générosité et l'engagement des personnes et des institutions qui, par leur contribution financière, assurent la survie de la Fondation pour l'art thérapeutique et l'art brut du Québec et de ses activités.

Le rendez-vous de la reconnaissance :

- La reconnaissance des Impatients comme des personnes capables de partage et d'amour;
- la reconnaissance des Impatients comme des personnes à part entière;
- la reconnaissance des Impatients comme un réel apport à la société.

Le rendez-vous de la communication :

- La communication entre personnes, l'essence de la vie depuis la fécondation de l'être;
- la communication entre les Impatients et les personnes qui sont près d'eux;
- la communication entre les Impatients et la population qui apprend à les connaître et à les aimer.

Et la vie des Impatients de Montréal et d'ailleurs sera meilleure parce qu'ils seront reconnus, qu'ils seront aimés et qu'ils pourront communiquer.

Raymond Carignan

Illustrations

Les notices biographiques accompagnant la table des illustrations ont été préparées par Sarah Lombardi

1 – L'humble guerrier

Robert R. (né au Québec, a fréquenté l'atelier de Montréal-Est en 1995)

Issu d'une famille de six enfants, Robert travaille dans la fonction publique avant d'être en congé de maladie pour cause de dépression. De nature plutôt réservée, il dessine essentiellement au crayon de couleur des éléments figuratifs, animaux ou personnages.

2 – Le chien qui pue

Réjean C. (né en 1953, a fréquenté l'atelier de l'hôpital de 1992 à 1999)

Les dessins de Réjean sont tantôt abstraits tantôt figuratifs. Ils sont très souvent accompagnés de textes au crayon de plomb à la troisième personne du singulier, qui font référence à sa vie et à ses états d'âme : « Réjean C., un être humain qui cherche à comprendre son corps, sa tête, sa vie. », ou encore « Réjean, quand ça va bien, il part dans un autre monde. »

3 – Oiseau

Anonyme. Réalisé par l'un des Impatients; un projet collectif animé par l'artiste Pierre Bellemare.

4 – La serveuse

Martial L. (né en 1954 à Rennes, France, fréquente les ateliers de Montréal-Est et du centre-ville depuis 1994)

À son arrivée à Montréal en 1976, Martial s'installe chez sa sœur, établie à Montréal depuis quelques années. Il travaille comme manutentionnaire dans un entrepôt, puis comme cuisinier chez Da Giovanni, un restaurant de la rue Ste-Catherine, et chez Les Rôtisseries St-Hubert. En peinture, Martial alterne les petits et grands formats. Réalisées à la gouache dans un style naïf, ses œuvres représentent en détail des scènes du Grand Nord québécois, toutes sortes d'animaux exotiques, des personnages ou encore des souvenirs de sa Bretagne natale. Il a également peint toute une série sur l'Ancien Testament.

5 – Le lanois

Gilles P. (né à Montréal en 1942, a fréquenté l'atelier de Montréal-Est de 1998 à 2001)

Gilles peint essentiellement des petits animaux, sorte de croisement entre une poule et un volatile inconnu, qu'il affuble de noms inventés. Dans son bestiaire imaginaire, on retrouve notament le « Harnote », le « Lanote », la « Harnète », le « Lanois » ou encore les « Hacaltots ». Bien que tous différents, ces « drôles d'oiseaux » semblent appartenir à une seule et même famille.

6 et 7 – Le char de mon père

Philippe L. (né en 1954 à Montréal, fréquente l'atelier de l'hôpital depuis 1991)

Philippe est résidant à l'Hôpital Louis-H.-Lafontaine depuis 1980. Il peint à la gouache de manière obsessionnelle une voiture qu'il intitule *Le char de mon père*, en souvenir de son père qui venait toujours le chercher à l'hôpital en auto. La collection de la Fondation possède plus de deux cents de ses œuvres. Si le thème est le même depuis plus de dix ans, la représentation qu'il en fait, à l'origine figurative, devient de plus en plus abstraite. Représentées toujours de profil dans une palette de couleurs réduite, ses voitures de la première époque sont inscrites dans un contexte : le véhicule est sur une route, parfois bordée d'arbres ou de fleurs et une structure rectangulaire (un garage) apparaît souvent dans la composition. Avec les années, l'angle de vue se réduit. On ne voit plus qu'une partie du véhicule, représentée par quelques lignes horizontales et verticales.

8, 9, 10 et 11

Jean-Paul H. (né en 1927, fréquente l'atelier de Montréal-Est depuis 1992)

Jean-Paul, un « orphelin de Duplessis », a été placé en institution après avoir perdu ses parents. Ses dessins sont tantôt abstraits, tantôt figuratifs. Ces derniers représentent les souvenirs de son enfance à la campagne : une maison, une charrette, des pommes, un arbre ou encore un cheval. Par le dessin, Jean-Paul, qui était analphabète, a peu à peu appris à écrire; d'abord son nom pour signer ses oeuvres puis des mots en français et en anglais. Ceux-ci apparaissent souvent dans ses compositions et deviennent de véritables signes plastiques. Ses oeuvres ont été présentées dans le cadre de l'exposition itinérante *Le Trio improbable* (printemps 2000), qui réunit également des peintures de l'artiste Pierre Henry ainsi que des dessins d'une petite fille dénommée Rafaëlle.

12 – J'ai pu d'idée

Normand H. (né en 1938 à Québec, décédé en 1997, a fréquenté l'atelier de l'hôpital de 1989 à 1996)

Normand a été résidant à l'Hôpital Louis-H.-Lafontaine pendant de nombreuses années. Handicapé des jambes, son rêve était de réapprendre à marcher et de quitter l'institution. Une année avant son décès, en 1996, il sort de l'hôpital pour aller habiter dans un foyer de groupe. Ses peintures à la gouache renvoient à sa condition de patient. Elles témoignent d'une grande souffrance psychologique mais aussi des espoirs qu'il forgeait pour l'avenir. Signalons tout particulièrement sa série de profils et sa représentation imagée de l'agitation cérébrale. Une exposition lui a été consacrée en 1999.

13, 14, 15 et 16

Lucie D. (née en 1961 à Montréal, fréquente l'atelier de Montréal-Est depuis 1992)

Lucie souffre d'un léger handicap dû à un manque d'oxygène à la naissance et a des troubles de l'ouïe, qui se traduisent par un problème de dyslexie. Jusqu'à l'âge de 21 ans, elle fréquente une école spécialisée puis effectue divers petits travaux dans des centres de travail adapté. Elle est passionnée par l'actualité, qu'elle suit à travers les journaux et la télévision. Ses œuvres ont pour sujet des personnalités médiatiques issues du monde politique, du show-business et du sport. Ses dessins à la gouache, souvent de grands formats, représentent des figures en pied ou des objets traités en aplats de couleurs vives et sans modelé, sur un fond généralement uni. Ses œuvres ont fait l'objet d'une exposition solo au printemps 2001 (Têtes d'affiche), à la galerie du centre-ville.

17 – L'Immaculée-Conception

Marie-Reine B. (née en 1948, a fréquenté l'atelier de l'hôpital de 1992 à 1998)

Marie-Reine peint essentiellement des portraits de femmes à l'acrylique : des princesses, des reines, des déesses, etc. Elle ne dessine généralement que les traits et les contours des visages. Si aucune d'entre elles ne se ressemblent, ces femmes de pouvoir au port altier ont en revanche toutes un nez identique, long et fin.

18 – Anisulo

Daniel H. (né en 1952, a fréquenté l'atelier de l'hôpital de 1994 à 1999)

Daniel est interné à l'hôpital Louis-H.-Lafontaine depuis 1970. Il souffre d'une déformation au niveau du nez qui altère son élocution. Il représente différents éléments dans un style naïf. Pour exprimer la colère, il a par exemple peint un personnage tout rouge, avec deux canines menaçantes et des volutes de fumée tout autour de la tête.

19 – Mon psy

Jean-Claude D. (né à Ville St-Michel. Date de naissance inconnue. Il fréquente l'atelier du centre-ville depuis 1999)

Jean-Claude n'aime pas perdre de temps quand il travaille, c'est pourquoi il ne réalise jamais d'esquisse au préalable et « attaque » directement le support, sachant exactement ce qu'il veut faire. Avec lui, il n'y a jamais de retouche. De style « minimaliste », son travail se résume essentiellement à des bandes de couleur horizontales. À l'occasion, il dessine un personnage.

20, 21, 22 et 23

Michel P. (né en 1947 à Montréal, fréquente l'atelier de Montréal-Est depuis 1992)

Au premier coup d'œil, ses compositions semblent se résumer à des formes abstraites. Cependant, on distingue parfois sous les couches de gouache des éléments au crayon de plomb; ici, la silhouette d'un indien résumée à quelques plumes, là, ce qui semble être la canne d'un joueur de hockey, son sport favori. Signalons à ce propos qu'il a un lien de parenté avec l'ancien joueur de hockey, Marcel Pronovost.

24 – Plymouth 49

Gaston M. (né en 1932 en Gaspésie, a fréquenté l'atelier de l'hôpital en 1989 et l'atelier de Montréal-Est à quelques reprises en 1998, décédé en 2002)

Gaston exerce le métier de maître de cérémonie dans les hôtels de la Gaspésie avant de tomber en dépression majeure. Il se retrouve alors seul, sans sa femme ni ses enfants, qui ne souhaitent plus le voir. Il dessine essentiellement des animaux (un bulldog, un éléphant rose, etc.) dans un style naïf.

25 – Sans titre

Jean-Claude D. (Voir numéro 19).

26, 27, 28, et 29

Romain P. (né en 1934 en Bretagne, France, a fréquenté l'atelier de l'hôpital de 1989 à 1994 et depuis 1994, l'atelier de Montréal-Est)

Né à Binic en Bretagne, Romain a connu l'occupation allemande. À 14 ans, il émigre avec sa famille à Montréal. Il est hospitalisé quelques années plus tard à l'hôpital Louis-H.-Lafontaine, où on le considère comme muet. Marqué dans sa petite enfance par la guerre, il dessine surtout des trains, des avions, des camions et des voitures par une série de traits énergiques. Depuis qu'il fréquente les ateliers, il a graduellement recouvré l'usage de la parole. Il fait partie du documentaire *Le chemin brut de Lisette et Romain* (1995), réalisé par Richard Boutet.

30 – François d'Assise

Roger D. (né en 1950, a fréquenté l'atelier de Montréal-Est de 1996 à 1999)

Roger a travaillé comme enseignant en philosophie au niveau collégial pendant plusieurs années. Socialement, il s'implique beaucoup dans le « droit des personnes souffrant de maladie mentale ». Au printemps, il s'adonne à la récolte des pommes dans les vergers des Cantons de l'Est, une scène qu'il représente fréquemment dans ses peintures. Il se représente aussi souvent en train de fumer la pipe. Autre élément récurrent, une figure schématisée en pied, qui tend un bras en avant en pointant quelque chose de l'index. Ses œuvres sont très chargées et les éléments qu'il agence sont à la fois dans l'axe de l'espace qu'il construit et perpendiculaires à celui-ci, donnant l'illusion qu'ils flottent dans l'espace.

31 et 32

François D. (né en 1970 à Montréal, fréquente l'atelier de Montréal-Est depuis 1997)

Issu d'une famille de six enfants, François a grandi dans le quartier de Pointe-aux-Trembles. Passionné de musique, il connaît tout de la variété francophone et du rock. Dans ses compositions au stylo feutre, on retrouve des punks et leur attirail (chaînes de métal, symbole de l'anarchie, etc.), des guitares, des motos, des voitures cylindrées en tout genre, des zeppelins, des fusées, ainsi que des portraits de ses chanteuses préférées.

33 – Adèle

Raymonde M. (née en 1943, décédée en 2002, a fréquenté l'atelier de Montréal-Est de 1995 à 2002)

Mère de deux enfants, Raymonde a vécu dans un foyer à Pointe-aux-Trembles. Elle a suivi des cours de chant dans son enfance et avait pour habitude de chanter en dessinant. Elle a écrit plusieurs petits textes poétiques, qu'elle agrémentait de dessins évoquant le contenu de ses écrits.

34 – L'homme enragé

Jacques M. (né en 1948, a fréquenté l'atelier de 1994 à 1998)

Jacques poursuit des études en anglais. Sous médication, il souffre de tremblements. Il peint surtout des personnages et des paysages dans un style différent : si les personnages sont représentés de façon schématique et naïve, ses paysages sont en revanche très réalistes.

35 – Masque

Antonio M.

36 – La chambre d'hôpital et 37 – Salon funéraire.

Antonio M. (né en 1964 à Montréal, d'origine italienne, fréquente l'atelier de Montréal-Est depuis 1995)

Antonio a été à l'école jusqu'en secondaire 5. Ses dessins au crayon de couleur et à la mine de plomb illustrent avec précision des souvenirs liés à son enfance. De nature narrative, ils sont colorés et semblent à priori inoffensifs. Cependant, un regard plus attentif nous révèle des situations dangereuses, où l'accident menace.

38, 39 et 40

Gilles D. (né en 1948, a fréquenté l'atelier de Montréal-Est de 1992 à 1996)

Gilles est issu d'une famille de 13 enfants. Il souffre de déficience intellectuelle. Il peint surtout des ronds, des lignes et des structures rectangulaires de manière très gestuelle. On sent le mouvement du pinceau sur la feuille de papier et l'énergie qui s'en dégage. Ses compositions se limitent souvent à deux ou trois couleurs. Il peint également des mots où l'accent est davantage mis sur le signe plastique que sur le sens, qui reste souvent abstrait.

41 – Raisins de Bourgogne ou de Grenoble

Michel N. (né en 1955 à Huberdeau, Québec, a fréquenté l'atelier de Montréal-Est de 1992 à 1997)

Michel, qui a fait son cégep, est un passionné de mots cachés. Lorsqu'il se rendait aux ateliers de la Fondation, il exigeait que tous les appareils électriques (téléphones, ordinateurs, cafetière, etc.) soient débranchés. Il est fasciné par les parades et les défilés, et peint essentiellement des drapeaux. La surface entière de la page devient la bannière du pays qu'il représente librement. Il dessine également des formes abstraites, qui s'enchevêtrent de façon structurée.

42 – Nommez-moi

Luc F. (né en 1963 au Québec, a fréquenté l'atelier de l'Hôpital de 1992 à 2001, avec quelques périodes d'interruption)

Luc a entamé des études collégiales, qu'il n'a pas achevées. Interrogé sur son processus de création, il répond avec humour : « Je fais un gâchis et j'essaie de le réparer. » Ses peintures à l'acrylique font référence à sa condition de patient et traitent souvent de thèmes liés à la souffrance. Il s'est notamment représenté sur la croix, comme le Christ, et a intitulé son œuvre *La souffrance d'un patient* (1992).

43 – Sans titre.
Anonyme

44 – Portrait
Gaétan D. (né en 1955 à Montréal, a fréquenté l'atelier de l'hôpital dès 1989, puis l'atelier de Montréal-Est. Depuis quelques années, il fréquente l'atelier du centre-ville)
Gaétan a terminé son secondaire 3. Après ses études, il a travaillé comme manutentionnaire dans un magasin d'ampoules et a enchaîné d'autres petits boulots. Il peint surtout des portraits à l'acrylique ou au crayon de plomb. Il a notamment réalisé une série de portraits de sa sœur et quelques autoportraits. Ceux-ci ont une ressemblance troublante avec le portrait du Christ tel que représenté dans les images pieuses : cheveux longs, longue barbe et traits émaciés.

45 – Sans titre
Éric V. (né à Rabat, Maroc, fréquente l'atelier de Montréal-Est depuis 2000)
Né d'un père pied noir reporter pour le roi Hassan II et d'une mère française institutrice, Éric s'installe avec sa famille en France, à Toulon, peu avant le début de la guerre d'Algérie. Il s'inscrit alors à l'école des métiers. Suite au divorce de ses parents, il émigre avec son père, sa sœur et une partie de sa famille à Montréal. Il vit actuellement dans un foyer. Les dessins d'Éric se rattachent à l'univers de la bande dessinée. Réalisé au crayon de couleur et à la mine de plomb, ils sont accompagnés de légendes et s'enchaînent au fil de l'histoire racontée. Par exemple, dans *La princesse Era contre Belle-zébu & zéra*, un conte chevaleresque, il met en scène toute une galerie de personnages et animaux fantastiques : princes, princesses, chevaliers, rois, reines, chevaux ailés, licornes, etc.

46 – Sans titre
Jean-Claude D. (voir numéro 19)

47 – L'éléphant
Bette (née en 1935 à Québec, a fréquenté l'atelier de l'hôpital de 1994 à 2000)
Bette peint à la gouache des portraits, des fleurs et surtout des animaux : oiseaux, poissons, bêtes sauvages, etc. D'un trait délicat, elle dresse un véritable bestiaire où toutes les espèces sont représentées. La plupart du temps, le motif est représenté seul, au centre de la page, sans modelé ni perspective.

48 – Une fleur
Denis G.
Voir témoignage à la page 126.

INDEX DES NOMS

Remerciements

Annie Choquette
Infographie

Sarah Lombardi
Coordination de la recherche et rédaction des notices biographiques à la table des illustrations

Denise Girard
Traitement des textes et lecture des épreuves

Flavie Boucher et Joseph Hornyak
Support technique

Lorraine Palardy
Consultation d'archives

Colette Quesnel et Audrey Paquin
Révision

et

M. François de Gaspé Beaubien, président et chef de la direction de Zoom Média Inc.
Pour son appui moral et financier et pour avoir obtenu la participation de :
- **M. Raymond Royer,** président et chef de la direction de Domtar Inc.
qui a gracieusement fourni ce magnifique papier et
- **M. Rémi Marcoux,** président et chef de la direction de G.T.C. Transcontinental Group Ltd.,
qui a gracieusement accepté de réaliser l'impression du présent ouvrage.